J'IRAI AVEC TOI PAR MILLE COLLINES

Témoignage

TOME 1

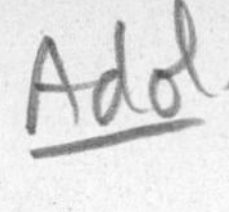

HANNA JANSEN

J'IRAI AVEC TOI PAR MILLE COLLINES

Témoignage
TOME 1

Traduit de l'allemand
par Sabine Wyckaert-Fetick

HACHETTE Jeunesse

Quelques courts passages ont été supprimés avec l'accord de l'auteur.

Ce livre a vu le jour grâce à ma fille Jeanne d'Arc, qui voulait se souvenir et raconter. Je l'ai écoutée, encore et encore, puis j'ai écrit son histoire. Comme je la ressentais.

Je dédie mon travail à la première famille de Jeanne et à sa mémoire.

Hanna Jansen

Voici l'histoire de Jeanne d'Arc Umubyeyi

Fille de Florence Muteteli et d'Ananie Nzamurambaho, sœur de Jean de Dieu Cyubahiro, appelé Jando, et de Catherine Icyigeni, appelée Teya.

Jeanne est née le 2 janvier 1986 à Zaza, dans la province de Kibungo.

En avril 1994, ses parents, son frère et sa sœur sont morts, victimes du génocide rwandais.

Jeanne a aussi perdu tantes, oncles, cousins et cousines, de même qu'amis et voisins. Presque tous les membres de l'ethnie des Tutsis qui vivaient alors à Kibungo ont été tués.

Jeanne est la seule de sa famille à avoir échappé au massacre.

Deux ans plus tard, en février 1996, une tante vivant en Allemagne l'a fait venir chez elle.

Depuis avril 1996, Jeanne a une nouvelle famille dans ce pays. Elle est maintenant la fille d'Hanna et Reinhold Jansen, et la sœur de Niklas, Fatia, Bob, Bobette, David, Samia, William, Katharina, Michel et Sali.

PREMIÈRE PARTIE

IL Y AVAIT UNE MAISON SUR LA COLLINE

Je t'écoute

J'ai toujours pensé qu'il existait des douleurs qui scellent les lèvres. Pas seulement les lèvres. Le cœur et les sens aussi, au moins pour longtemps. Des douleurs qui font taire toutes les histoires, parce que les mots se refusent.

Mais tu veux parler. Me parler. Et, avec moi ou à travers moi, raconter ton histoire à d'autres. Je vais t'écouter, comme quelques fois déjà. Je vais tenter d'admettre l'incompréhensible, et voir ce qui se passe en moi.

Le moment venu, il est possible que je crie à l'aide. Aussi fort que tu l'as fait.

Mais peut-être n'as-tu pas crié ? Tu vas me le dire.

Nous allons mêler nos mots et je vais les coucher sur le papier. Alors, ce que nous aurons exprimé par la parole s'éloignera peut-être de nous. À moins qu'il n'évolue vers quelque chose dont nous pourrons nous écarter d'un pas.

Si nous y parvenons, ta douleur, enveloppée dans un tout, s'apaisera peut-être, plus tard.

Chaque fois que j'essaie de me représenter l'étendue de ta souffrance, je ne trouve pas de mesure qui me permette de l'appréhender. C'est pour cela que j'ai peur aussi de ce que nous allons entreprendre.

Mais tu as confiance en moi. Et moi en toi. Je crois profondément à ta force.

Il y avait un avant. Il y aura un après.

Bâtissons un pont. Un pont qui nous mène par-delà l'insoutenable.

Je suis sûre qu'en l'empruntant, encore et encore, nous trouverons l'amour sur les deux rives.

Jeanne se tenait accroupie dans la petite bassine en fer-blanc, sortie dès l'après-midi dans la cour intérieure pour que le soleil puisse chauffer l'eau.

C'étaient les enfants eux-mêmes qui l'avaient apportée à la maison. Au cours de la journée, ils avaient suivi plusieurs fois l'étroit chemin menant au lointain point d'eau, soigneusement gardé, où l'on pouvait l'acheter dans un kiosque.

Matin, midi et soir, les petits s'y rendaient, accompagnés des plus grands et de quelques adultes, pour se procurer l'indispensable réserve quotidienne. Un jour, durant l'un de leurs nombreux voyages, Jeanne avait compté bien plus de mille pas.

En bavardant, parfois aussi en chantant, ils prenaient le chemin du retour, à l'ombre des feuilles de bananier bordant le sentier. Ils passaient devant un champ de bambous, dont les tiges grosses comme le bras s'élevaient à plusieurs mètres, et traversaient un peu plus tard un bois d'eucalyptus abritant une grande mare à grenouilles. Le niveau de son eau trouble ne baissait jamais, même à la saison sèche, car l'étang était continuellement alimenté par plusieurs sources. Ceux qui ne pouvaient pas acheter leur eau allaient l'y puiser.

Quand il fallait faire du jus de banane, on avait besoin de beaucoup d'eau. Les plus jeunes, dont Jeanne faisait encore partie, portaient les petits bidons de plastique en équilibre sur la tête. Le fond dur du récipient était maintenu par une couronne de feuilles de bananier, ou enveloppé dans un pan de tissu enroulé autour des cheveux coupés ras, comme un oiseau dans son nid.

Les enfants plus âgés (dont le frère de Jeanne, Jando) et les adultes étaient chargés des jerricans, accrochés chacun à un long et solide bâton dont ils tenaient les extrémités. Il leur arrivait même d'en transporter plusieurs à la fois.

L'eau venait des montagnes. Il y en avait suffisamment, mais il fallait la porter jusqu'aux maisons. Et c'est ainsi qu'aller chercher l'eau constituait un moment de la journée tout aussi immuable que le lever et le coucher.

Lorsque la main de tante Pascasia s'approcha avec l'éponge, Jeanne rentra la tête et fit le gros dos comme un chat. Bouillant d'impatience, paupières serrées le plus fort possible, elle se laissa, de mauvaise grâce, savonner et frotter de la tête aux pieds, jusqu'à ce que la peau lui brûle.

Tante Pascasia se montrait sans pitié pour la poussière de la journée. Jeanne détestait ce rituel du soir, cette toilette imposée qu'elle jugeait, par ailleurs, indigne d'elle-même. Elle avait six ans et ne voulait plus qu'on la lave comme un bébé.

À la maison, chez ses parents, elle avait un jour réussi à convaincre Julienne, leur très jeune domestique[1], de la laisser s'en charger. Mais elle s'était attiré les bruyantes moqueries de tout son entourage en oubliant – difficile de ne pas s'en apercevoir – de savonner un de ses pieds. Et Julienne avait eu des ennuis.

Mais chez Nyogokuru*[2], à la campagne – où Jeanne et tous les autres petits-enfants passaient chaque année les longues vacances d'été, de juin à septembre –, il n'y avait aucun moyen d'y échapper.

Jeanne entendait les plaintes de sa petite sœur, dans une seconde bassine, à côté d'elle. Et, de temps en temps, la voix exaspérée de leur cousine Claire, qui avait déjà le droit de faire le travail des femmes :

— Tu vas te tenir tranquille, à la fin !

« Teya a du savon dans les yeux », se dit Jeanne.

---

1. Beaucoup de familles emploient un boy ou une bonne, ou *boyesse*. *(N.d.T.)*
2. Les astérisques renvoient au glossaire à la fin de l'ouvrage.

Par précaution, elle fronça les paupières encore plus fort, car elle sentait la mousse couler de ses cheveux sur sa figure.

Elle était secrètement heureuse d'avoir obtenu que Pascasia s'occupe de son bain. Si les mains de sa tante la traitaient avec ardeur et sans ménagement, elles étaient bien plus exercées que celles de Claire ; aussi Jeanne avait-elle bon espoir d'en finir avant Teya, cette fois-ci.

Être la première, à chaque occasion possible et imaginable : telle était la lutte sans fin l'opposant à sa sœur cadette. Il n'était pas rare que Jeanne perde, ce qui la minait, car ses deux années de plus auraient dû lui assurer un avantage durable. Mais Teya était futée ; c'était même une vraie petite chipie lorsqu'il fallait séduire les adultes et les ranger de son côté.

Quand Teya recourait à l'arme des pleurs perçants et insistants, Jeanne devait se soumettre, juste parce qu'elle était plus âgée.

— Tu n'entends pas ta petite sœur pleurer ? lui reprochait alors sa mère. Mais qu'est-ce qui t'empêche de céder ?

Et Jeanne s'exécutait, tout en grondant intérieurement. « C'est injuste », pensait-elle. Mais jamais elle ne dit ces mots à voix haute.

Tante Pascasia lâcha l'éponge et prit de l'eau dans ses mains en coupe, pour la verser sur la tête de Jeanne et enlever le savon. Une toilette minutieuse exigeait que l'on répète plusieurs fois l'opération de rinçage. Jeanne se redressa et se campa sur ses deux jambes. Plus qu'une minute, et elle en serait quitte. L'eau tiède ruisselait de sa tête sur son corps, et un peu de savon rentra malgré tout dans ses yeux. Ça piquait terriblement, mais Jeanne serra les lèvres et n'émit aucun son. Elle pouvait aussi gagner en se montrant plus courageuse, finalement.

En outre, elle ne voulait surtout pas provoquer le mécontentement de tante Pascasia, et courir le risque d'être retenue plus longtemps que nécessaire. Elle avait hâte de retrouver les autres non loin du feu, où les petits se rassemblaient avant le repas, soir après soir. Éclatants de propreté jusqu'au bout des ongles, vêtus d'habits confortables, ils s'installaient tous aux pieds de leur grand-mère. Ils écoutaient les histoires de la vieille femme, captivés, tandis que leurs tantes et Vénéranda, la domestique, s'affairaient près du feu et préparaient le dîner.

Jeanne aimait les récits de Nyogokuru.

Lorsqu'elle suivait le fleuve sombre et tranquille de la voix usée, elle fermait de temps à autre les yeux, pour tout voir précisément devant elle. Presque avidement, elle buvait les phrases, étanchant sa soif en les gravant mot pour mot dans sa mémoire, jusqu'à connaître par cœur la plupart des histoires. Elle agaçait parfois les autres en intervenant brusquement dans un conte pour en dévoiler la suite.

— Tes ongles ont besoin d'être coupés, Dédé ! dit tante Pascasia d'un air sévère, interrompant ses pensées.

Bien qu'ils brûlent encore, Jeanne ouvrit les yeux, épouvantée, et une grosse larme chassa le reste du savon. La coupe des ongles entraînerait une perte de temps irréparable.

— Mais comment fais-tu pour te salir comme ça tous les jours ? grommela sa tante.

Comment se salissait-on autant ? Tante Pascasia le savait pertinemment, après tout.

En traînant dans la bananeraie ; en jouant à cache-cache ou à la dînette, avec du sable et des feuilles arrachées ; en grimpant aux larges branches des avocatiers, derrière la ferme de Nyogokuru.

Ce jour-là, pour échapper à Jando, Jeanne était descendue un peu trop rapidement et imprudemment d'un arbre, était tombée lourdement d'une branche basse sur le sol poussiéreux. Heureusement, l'éraflure sous son genou avait échappé jusqu'à présent aux yeux critiques de tante Pascasia.

Indignée, Jeanne croisa les bras derrière le dos.

— Mes ongles viennent d'être coupés ! affirma-t-elle.

Les mots avaient à peine jailli de sa bouche que la main de Pascasia s'abattait avec vigueur sur son petit derrière bombé.

Jeanne, muette, baissa la tête et regarda du coin de ses yeux en amande le visage de sa tante, où elle ne put rien lire d'autre qu'une détermination inflexible. Le respect interdisait toute contestation. Cette dernière était d'ailleurs inutile, et pouvait même se traduire par une mise au coin immédiate, ou par l'interdiction de prendre part au cercle d'histoires. Le cœur lourd, elle capitula. Yeux mi-clos, elle regarda avec envie Teya, déjà sèche, qu'on enduisait au même moment de graisse à traire après l'avoir frictionnée.

La peau brun clair du petit visage rond de sa sœur brillait d'un vif éclat dans la lumière rasante annonçant le crépuscule ; un sourire triomphant soulignait la blancheur éblouissante de ses petites dents.

Jeanne maîtrisa à grand-peine sa langue, qui voulait jaillir de sa bouche tel un poignard et s'étirer de tout son long vers Teya.

Un peu plus tard, Jeanne fut la dernière à rejoindre l'assemblée des enfants propres.

Ils étaient assis sur des nattes, serrés les uns contre les autres, leurs yeux pleins d'attente tournés vers la maison de Nyogokuru. Jusqu'à ce qu'on les appelle pour le repas, ils n'avaient plus le droit de bouger d'un pouce.

Jeanne nota avec soulagement que sa grand-mère n'était pas encore là. D'habitude, elle était assise dehors et accueillait les enfants au fur et à mesure qu'ils arrivaient. Mais ce jour-là, sa chaise était vide, ce qui adoucit la secrète colère de Jeanne et son sentiment aigu d'avoir été dessaisie de quelque chose.

Elle leva le menton en direction du premier rang, et rencontra pour la seconde fois le sourire victorieux de Teya. Juste au pied de la chaise de Nyogokuru.

— Pff ! fit Jeanne.

Avec une lenteur exagérée, elle s'installa à l'unique place encore libre, à côté de sa cousine Saphina. Avançant une lippe boudeuse, elle tourna la tête vers le feu, où Vénéranda remuait le contenu d'une des grosses marmites.

Avant le bain, Jeanne avait jeté un coup d'œil dans les récipients et constaté qu'il y aurait, ce soir-là encore, des patates douces et de la sauce* de légumes. Elle n'aimait pas les patates douces. Prévoyante, elle avait donc englouti quelques bananes rouges très sucrées et une mangue dégoulinante de jus. Plus tard, lorsque les petits se rassembleraient autour du grand plat commun, elle avait l'intention de picorer simplement quelques haricots, sans se faire remarquer des adultes.

Vénéranda mit son bâton de côté et s'essuya le front du revers de la main. Cela faisait de nombreuses années qu'elle travaillait pour Nyogokuru, et Jeanne la connaissait depuis toujours. Mais son service touchait à sa fin, car Vénéranda avait déjà vingt ans – beaucoup trop pour une domestique – et se marierait bientôt.

Jeanne pouvait difficilement s'imaginer les vacances chez sa grand-mère sans Vénéranda. Généralement de bonne humeur, elle jouait des tours pendables aux enfants, riait plus longtemps et plus fort qu'eux et laissait les petits monter sur son dos, lorsqu'elle prenait son élan pour galoper sur ses longues jambes le long du chemin menant au point d'eau. Ses mouvements semblaient obéir à un rythme secret, elle dansait ou chantait souvent et ne pouvait s'empêcher de tambouriner sur tout ce qui tombait sous ses doigts agiles.

Les enfants aimaient bien la taquiner et elle se laissait faire, débonnaire. Mais si l'un d'eux dépassait les bornes, elle se faisait respecter en l'attrapant sans hésiter et le ramenait à la raison d'une tape impérieuse.

Vénéranda était la seule domestique autorisée à s'approprier ce droit des adultes. Il était strictement interdit aux employées plus jeunes de lever la main sur les enfants, et elles avaient souvent du mal à s'imposer.

Mélancolique, Jeanne contemplait la jeune femme si familière qui, dans quelques semaines seulement, ne serait plus des leurs.

Cette fois encore, Vénéranda chantait. Ou plutôt, elle fredonnait un air que Jeanne avait entendu souvent déjà. Les cheveux crépus de la jeune femme, tortillés en petites tresses, se dressaient agressivement sur sa tête comme les épines d'un cactus, et le motif bigarré de sa robe fleurie défiait le jour de tenir bon encore un peu, avant que la nuit noire ne s'abatte.

Lorsque Vénéranda remarqua le regard de Jeanne, elle lui adressa un sourire énigmatique qui avait la couleur du soir. Il agit comme de la graisse à traire sur le petit cœur de Jeanne, blessé par la défaite qu'elle venait de subir. La fillette lui rendit son sourire, la commissure des lèvres légèrement tremblante.

Au même instant, le bruit d'une porte s'ouvrant annonça l'arrivée de Nyogokuru. Jeanne se retourna et joignit aussitôt sa voix au salut des autres :

— Bonsoir, Nyogokuru ! s'écrièrent les enfants.

Bien droite, une main appuyée sur sa canne sculptée et polie, l'autre tenant une pipe, la vieille femme exceptionnellement grande sortit de sa maison et s'approcha pas à pas de sa ribambelle de petits-enfants. L'expression tendue de son visage trahissait une douleur réprimée.

Depuis quelque temps, une maladie grave logée dans ses os la clouait au lit par intermittence et transformait chacun de ses mouvements en un supplice. Voilà longtemps qu'elle ne pouvait plus accomplir elle-même les travaux des champs, et les autres activités exigeaient aussi une telle force qu'elle devait se faire remplacer par ses filles, ou par ceux qu'elle hébergeait.

Malgré tout, elle remplissait toujours avec joie la tâche de garder ses petits-enfants et de les tenir éveillés avec ses histoires, avant le repas du soir. Année après année, le temps des vacances, ils continuaient de se rassembler sur sa propriété, en dehors de la ville de Kibungo.

Comme à l'accoutumée, Nyogokuru s'était habillée avec soin pour le dîner. Ce jour-là, elle portait un *umucyenyero** bleu vif ; la robe, drapée autour de son corps, tombait jusqu'à ses pieds glissés dans de confortables pantoufles. Elle avait noué l'*umwitero** de biais sur son épaule ; sur la large écharpe aux tons chauds de jaune et de terre, on retrouvait un motif d'oiseau du bleu éclatant de la robe. L'*igitambaro**, longue pièce d'étoffe que la vieille femme enroulait en turban autour de sa tête, était taillé dans le même tissu chamarré.

Avant de s'asseoir sur sa chaise, Nyogokuru promena un regard attentif sur ses petits-enfants. Ses yeux vifs, marron foncé, surmontaient de larges pommettes saillantes dans un visage presque sans rides. La forme inhabituelle des joues, qui donnait au bas de la figure l'apparence d'un triangle, était une caractéristique des femmes de la famille. Jeanne aussi en avait hérité, si bien que son visage avait déjà perdu les rondeurs enfantines.

Après s'être installée, Nyogokuru alluma sa pipe avec des gestes mesurés. Son regard limpide tourné vers les enfants, elle en aspira une profonde bouffée.

Tous attendaient impatiemment qu'elle prenne la parole. Et lorsqu'elle desserra enfin les lèvres, Jeanne vit ses mots s'envoler dans le soir sur un petit nuage de fumée :

— Eh bien, comment avez-vous passé la journée ?

De nombreuses bouches s'ouvrirent en même temps, babillant avec animation, mais la petite voix claire de Teya s'éleva distinctement au-dessus du brouhaha des réponses, annonçant à la cantonade :

— Dédé est tombée de l'arbre !

« Rapporteuse ! » pensa Jeanne, envahie par un flot d'idées de vengeance. « Attends un peu ! »

Elle baissa vivement les paupières pour dissimuler les étincelles de rage dans ses yeux. Car, si elle provoquait trop le destin, ou la colère de sa grand-mère, il se pouvait qu'elle soit obligée de rassembler ses affaires et rentrer chez ses parents plus tôt que prévu.

Il en coûtait parfois à Jeanne d'être telle qu'on l'attendait d'une petite fille de son âge. Elle n'était pas douce et complaisante. Ni toujours obéissante. Elle était habitée par la contestation, une petite flamme vacillante qui pouvait soudain s'embraser et jaillir en mots impétueux. Des mots qu'il aurait mieux valu ne pas prononcer.

À présent, Jeanne tirait furtivement sur l'ourlet de sa robe pour cacher son genou éraflé. Elle courbait la nuque, s'attendant à ce qu'une sévère réprimande s'abatte bientôt sur elle.

Mais les remontrances ne vinrent pas.

— Alors, que voulez-vous entendre aujourd'hui ? demanda Nyogokuru au lieu de cela.

Jeanne leva la tête, surprise, et vit sa grand-mère sourire.

— Le conte de Blanche-Neige ! gazouilla Teya.

— Ah non, pas encore ! protesta Saphina. Plutôt celui de la jeune fille à la calebasse* qui devait rester dans le palais du prince. Ça fait terriblement longtemps qu'on ne l'a pas entendu. S'il te plaît, Nyogokuru !

Lionson, un des deux seuls garçons de l'assistance, bondit sur ses pieds. C'était le benjamin de tante Pascasia, une demi-tête de moins que Jeanne, mais il faisait honneur à son nom de « Fils du Lion ». Rien n'était suffisamment effroyable et dangereux pour lui.

Voilà qu'il réclamait à tue-tête, montrant les dents

et roulant furieusement les yeux :

— L'histoire du monstre qui dévore ses dix enfants !

— Berk, non, pas celle-là quand même ! crièrent les petites filles d'une voix perçante.

On entendit alors le tintement d'une cloche et le piétinement étouffé de sabots. Au même instant, une légère vibration du sol indiqua que Gatori, le garçon vacher, était revenu des montagnes et pouvait entrer à tout moment par le grand portail.

Les petits oublièrent vite leurs chamailleries et tournèrent la tête pour suivre le spectacle qui s'annonçait.

Peu après, la tête tachetée de Nyampinga, encadrée de longues cornes recourbées, apparut dans l'entrée. En tant qu'aînée des vaches, il lui revenait d'ouvrir la marche. Elle avançait pesamment, visiblement accablée par son énorme pis rebondi. Résolument, elle se dirigea vers l'étable où Muzehe*, le vieil ouvrier aux pieds enflés, l'attendait déjà.

Muzehe était l'un de ceux qui méritaient, par leur travail, le droit d'être logés et nourris chez Nyogokuru. Il était venu un jour, et resté. Sa tâche consistait surtout à traire les vaches.

Il accueillit Nyampinga et la mena à sa stalle, avec la tranquille assurance que les trois autres vaches la suivraient, tout comme les deux veaux.

Puis Gatori se montra. D'un pas décidé, le jeune homme de quatorze ans, grand et maigre, franchit le portail ; ses bras et ses jambes nus étaient recouverts d'une épaisse couche de poussière. Avec un petit bâton, il guidait les veaux devant lui, veillant à ce qu'aucun ne fasse un écart. Sa journée de travail était terminée. Dès qu'il se serait lavé, il irait retrouver les garçons plus âgés. Jando et ses deux cousins l'attendaient déjà près de la clôture ; lorsque Gatori leur sourit et les salua en levant son bâton, ils crièrent quelque chose et lui firent signe de la main.

Jeanne suivit les vaches d'un regard nostalgique et les vit disparaître dans l'étable.

Plus encore que de rester tranquillement assise sur sa natte, aux pieds de Nyogokuru, elle aurait aimé se trouver dans l'étable. Elle voulait caresser sa vache préférée, Tsembatsembe, qui lui léchait doucement la tête de sa langue râpeuse. Tsembatsembe avait les plus beaux yeux du monde.

— Ce soir, je vais vous raconter une histoire qu'aucun de vous ne connaît encore, annonça Nyogokuru.

Jeanne se retourna, entoura ses genoux de ses bras et leva la tête, attentive. Et croisa pour la seconde fois le sourire de sa grand-mère.

— C'est l'histoire des tambours, dit la vieille femme. Je vais vous apprendre comment ils sont arrivés sur terre.

Elle se tut un moment, comme pour permettre à ses petits-enfants de s'approcher par la pensée de ce qui allait suivre. Leurs yeux avides étaient rivés à ses lèvres, qui se refermèrent une nouvelle fois autour de l'embout de la pipe.

Le cri de Jando appelant Gatori rompit le silence qui s'était installé. Aussitôt, les coassements des grenouilles se mirent à retentir dans le petit bois proche.

Il y a très, très longtemps, vivait un roi régnant sur toute l'Afrique, commença à raconter Nyogokuru. *C'était une période de paix et de prospérité, car chacun dans le pays avait assez pour vivre, et le roi possédait lui aussi tout ce dont il avait besoin. Comme c'était un souverain très sage et très juste, il veillait à ce que chacun de ses sujets se porte bien, et à ce que nul ne soit jaloux de son voisin. Mais le royaume était immense, et il fallait bien longtemps avant qu'une nouvelle venue de loin ne parvienne au roi, ou qu'un message royal n'atteigne les sujets éloignés. Lorsque son aide était nécessaire ou qu'un événement particulier se produisait, ses messagers arrivaient souvent trop tard. Le roi médita encore et encore sur la façon de remédier à cette situation, mais il ne savait que faire. Aussi éleva-t-il un jour la voix, priant instamment le grand roi du Ciel de lui offrir le moyen de répandre les nouvelles dans tout le pays, assez rapidement pour que chacun les entende à temps.*

— En effet, j'ai quelque chose pour toi, répondit le grand roi du Ciel. Et j'exaucerai bien volontiers ton souhait si tu m'envoies les plus avisés et les plus vaillants de tes messagers, afin qu'ils reçoivent ce présent de mes mains. Il ne leur sera pas facile de me trouver, car ils devront gravir et descendre mille collines, jusqu'à ce qu'ils atteignent celle qui mène droit au ciel.

Le souverain de l'Afrique remercia chaleureusement le grand roi du Ciel et appela aussitôt dix de ses meilleurs messagers. Il leur donna quantité de vivres et d'eau pour la route, et leur ordonna d'approcher le grand roi du Ciel pacifiquement et humblement.

Mais le chef des messagers pensa aux dangers qui pouvaient les attendre en chemin :

— Nous allons là où personne avant nous n'est allé. Qui sait ce qu'il peut nous arriver ? Il vaut mieux que nous emportions nos lances et nos machettes, pour combattre si on nous attaque.

Contre l'ordre de leur souverain, les messagers s'armèrent de la tête aux pieds et se mirent en route. Pendant des jours, pendant des semaines, ils gravirent et descendirent les collines, les franchissant l'une après l'autre. Mais jamais ils n'atteignirent celle reliant le ciel à la terre, alors qu'ils la voyaient constamment devant eux. Et jamais ils ne revinrent.

Après les avoir longtemps attendus, le roi choisit dix autres de ses meilleurs messagers, pour les envoyer à la recherche des premiers. À nouveau, il les exhorta à approcher le grand roi du Ciel pacifiquement et humblement. Mais leur chef n'observa pas davantage ses ordres. Il s'arma et arma ses hommes comme s'ils partaient en guerre. Et, comme leurs prédécesseurs, on ne les revit jamais.

Nyogokuru s'interrompit et tira avec délice sur sa pipe. Ce n'est qu'au bout d'un moment qu'elle reprit :

Aussi le roi en personne résolut-il de partir. Une fois encore, il rassembla dix de ses hommes, pour l'accompagner. Et puisqu'il était leur chef, ils partirent sans armes, selon son souhait. Durant sept jours et sept nuits, ils gravirent et descendirent les collines, avant d'arriver enfin, le soir du huitième jour, au pied de celle qui reliait le ciel à la terre. Et comme ils ne savaient pas quoi faire, ils s'allongèrent pour se reposer et s'endormirent peu après, épuisés. Mais le lendemain matin, lorsque le roi et ses hommes ouvrirent les yeux, la terreur les saisit car ils virent devant eux, au sommet de la colline, une énorme araignée dont le corps assombrissait le ciel. Elle les fixait, menaçante, de ses quatre paires d'yeux luisants.

Nyogokuru se tut. Une respiration bruyante parcourait les rangs de son auditoire. Lionson donna une bourrade au petit Blando qui, entre-temps, s'était étendu de tout son long sur la natte, et endormi. Blando se redressa, cligna plusieurs fois des paupières, puis se laissa retomber. Lionson, scandalisé, lui secoua le bras. Ça devenait enfin passionnant ! Jeanne aussi ressentait un picotement dans le ventre. Elle trouvait les araignées hideuses. Ce monstre affreux, en haut de la colline, était sûrement très dangereux ! Comment le roi allait-il pouvoir le vaincre sans armes ?

Le roi dut rassembler tout son courage, poursuivit Nyogokuru. *Il se leva, quitta le camp et entreprit de gravir lentement la colline, les yeux dans les yeux de l'épouvantable bête, qui semblait l'attendre. Remplis de crainte, ses hommes le suivirent en hésitant. Une fois arrivé au sommet, le roi constata qu'il serait facile pour l'araignée de l'écraser sous une de ses pattes, et lui aussi prit peur. Mais elle restait assise, immobile. Bravement, il regarda dans sa direction.*

— Que voulez-vous ? tonna le monstre.

Sa voix retentit par-delà les chaînes de collines et fut répercutée mille fois, à tel point que les hommes, effrayés, se jetèrent au sol. Seul le roi resta debout, bien droit.

— Je suis le roi de cette terre et je viens en paix, annonça-t-il résolument. Le grand roi du Ciel m'attend. Malheureusement, j'ignore comment parvenir jusqu'à lui. Peux-tu m'aider ?

L'araignée ne répondit pas immédiatement. Elle paraissait réfléchir.

— Et si je vous aide, finit-elle par demander en le regardant fixement, me donneras-tu quelque chose en échange ?

— Rien tant que cela ! s'écria le roi. Dis-moi seulement ce que tu veux, et tu l'auras.

— Quelque chose qui t'est particulièrement précieux. Le moment venu, je ferai mon choix.

— Je te donne ma parole, promit le roi, le cœur léger. Avant mon départ, tu pourras me demander ce que tu veux.

Aussitôt et en très peu de temps, l'araignée tissa une toile reliant la terre au ciel. Le roi et ses messagers y grimpèrent et furent accueillis avec joie par le grand roi du Ciel, qui les attendait. Il les invita à entrer dans son royaume et donna une grande fête en leur honneur. Pendant trois jours et trois nuits, ils goûtèrent musique et mets fins. Pour finir, le grand roi du Ciel prit le roi de la Terre à part, car il voulait lui parler seul à seul.

— Je t'ai promis quelque chose, commença-t-il d'un ton solennel, et tu es venu le chercher toi-même. C'était très intelligent de ta part. Je sais que tu es un roi sage et juste. C'est pourquoi je vais te donner ce qui, désormais, maintiendra l'unité de ton grand territoire. Je t'offre la voix de l'Afrique. Son timbre sera sans pareil. Et, comme tu le souhaitais, elle répandra chaque nouvelle à la vitesse du vent. Elle vous préviendra quand un enfant viendra au monde, elle accompagnera en chantant les morts dans leur royaume, elle vous appellera quand les fiancés s'uniront. Et vous danserez quand elle vous parlera.

Ayant dit cela, le grand roi du Ciel frappa trois fois dans ses mains. Aussitôt, dix serviteurs apparurent, portant dix tambours plus beaux les uns que les autres, sculptés dans un bois précieux et tendus de peaux superbes. Ils déposèrent le plus grand aux pieds du roi de l'Afrique.

— Voici Kalinga, le roi des tambours, dit le grand roi du Ciel. Il est tien maintenant, et propagera ton appel partout.*

Un des serviteurs se mit alors à battre du tambour ; un autre se joignit à lui, puis un autre encore, chaque musicien jouant d'une manière toute personnelle. Ils s'appelaient et se répondaient, s'affrontaient et se réconciliaient, jusqu'à ce que toutes leurs voix se rejoignent et se mêlent pour former un son puissant qui emplit le ciel.

— Prenez-les tous ! dit le grand roi du Ciel. Dorénavant, quoi qu'il arrive, on entendra partout et toujours

la voix des tambours. Chacun la comprendra, car c'est au cœur qu'elle parle.

Le roi de la Terre se jeta au sol et remercia mille fois le grand roi du Ciel pour son merveilleux cadeau. Puis il rassembla ses messagers, qui devaient prendre les tambours et les porter sur le chemin du retour. Peu après, ils se mirent en route. L'araignée attendait déjà à la sortie du royaume céleste, prête à tendre sa toile, du ciel jusqu'à la terre cette fois, afin que les visiteurs puissent rentrer chez eux.

Le roi de l'Afrique et ses hommes descendirent. Une fois arrivé en bas, le souverain se tourna vers l'araignée :

— Je te remercie pour ton aide. Il est temps que tu me fasses part de ton vœu, que j'exaucerai avec plaisir.

— Fais venir ta fille, exigea l'araignée, et donne-la-moi pour femme !

Nyogokuru s'arrêta une nouvelle fois, pour aspirer une bouffée de fumée qu'elle laissa sortir entre ses lèvres sous la forme d'un filet gris-jaune.

Saphina gémit. Lionson, lui, serrait le poing d'un air féroce. Jeanne n'était pas surprise. Sa grand-mère avait la manie d'interrompre ses récits lorsque le suspense devenait insoutenable.

Mais cette fois, la vieille femme prolongea indéfiniment sa pause, jusqu'à ce que les plus petits se mettent à remuer et que quelqu'un s'écrie impatiemment :

— Continue !

Nyogokuru s'éclaircit la voix et poursuivit :

Saisi d'horreur, le roi tomba à genoux.

— Oh non ! implora-t-il. Tu ne peux pas me demander cela ! Prends tout ce que tu veux. Je te donnerai cent de mes plus belles vaches, tu recevras la meilleure de mes terres et, si tu veux, l'ensemble de mes biens. Mais laisse-moi ma fille, je t'en prie !

— Tu m'as fait une promesse ! insista l'araignée, sa voix s'élevant comme une énorme tempête et pétrifiant les hommes de terreur. Oserais-tu manquer à ta parole ? La parole d'un roi ? Tu as eu ce que tu voulais. Maintenant, tu dois en payer le prix. Va et amène-moi ta fille. Je vous attendrai ici.

Le roi de l'Afrique ne sut quoi répondre. Car l'araignée avait raison : la promesse d'un roi était sacrée, on ne pouvait y faillir. Le cœur lourd, il entreprit la longue marche devant le ramener auprès de sa fille unique, qu'il lui faudrait donner en mariage à l'affreuse araignée. Accompagné de ses messagers, il franchit les mille collines, les gravissant et les descendant l'une après l'autre, et retrouva son royaume.

Le roi pria sa fille de le suivre, et elle lui obéit en toute confiance. Il n'avait pas osé lui dire ce qui l'attendait ; elle était très fragile et il redoutait qu'elle ne meure de peur en chemin. Ils marchèrent sept jours et sept nuits, et plus ils approchaient de leur but, plus le roi était malheureux.

— Je ne peux pas faire ça ! se lamentait-il sans cesse. Personne n'a le droit d'exiger ça de moi !

— Mais qu'as-tu donc, père ? demandait alors la jeune fille.

Il ne lui répondait pas.

Le huitième jour, lorsqu'ils atteignirent enfin le pied de la colline reliant le ciel à la terre, le soir était déjà tombé, comme la première fois. Le roi regarda anxieusement autour de lui, mais il ne put découvrir le monstre nulle part. Aussi s'étendit-il avec sa fille pour se reposer, et tous deux s'endormirent rapidement, épuisés.

Le lendemain matin, une voix inconnue les réveilla :

— Ainsi, tu as bel et bien tenu promesse, disait-elle amicalement.

Le roi et la jeune fille ouvrirent les yeux. Ils virent devant eux un jeune homme de très grande taille, aux membres puissants et aux traits parfaitement réguliers. Sa peau couleur de nuit brillait comme de l'ébène et ses yeux faisaient l'effet de sombres pierres précieuses. Ses hanches étaient entourées d'une peau de bête finement tannée, ses poignets et ses chevilles richement ornés de bracelets de perles fines. Et lorsqu'il parla de nouveau, il souriait :

— Tu m'as amené ta fille afin que je puisse la prendre pour femme. Je vais déposer à ses pieds ma vie et tout ce que je possède, car elle est magnifique.

— Que racontes-tu là ? répondit le roi, abasourdi. Je ne te comprends pas.

— Tu as devant toi le fils du grand roi du Ciel, lui expliqua l'étranger. En tant que gardien de son royaume, je prends parfois la forme d'une araignée. J'ai pour tâche de mettre à l'épreuve les visiteurs qui veulent se rendre là-haut. Lorsqu'ils sont les bienvenus, je tisse ma toile

pour eux. Tu étais le bienvenu chez nous, et ta fille le sera également si elle désire m'épouser et me suivre. C'est à elle seule d'en décider.

La jeune fille, qui s'était éprise du beau jeune homme au premier regard, accepta avec joie. Son père fit de même. Et c'est ainsi que les familles du grand roi du Ciel et du roi de la Terre s'unirent, et que débuta une période bénie et pacifique.

— Bien, maintenant vous savez comment les tambours sont arrivés sur terre. On peut toujours entendre ce cadeau du ciel, car leur voix porte aussi loin que lui.

Sur ces mots, la voix de Nyogokuru descendit dans les graves et s'évanouit. La bouche de la vieille femme resta dès lors close comme un livre fermé.

Jeanne poussa un profond soupir. Comme toujours, elle était déçue. Non par le dénouement – elle n'aurait pu rêver mieux –, mais parce que le conte s'était terminé trop rapidement.

Elle brûlait d'en savoir plus. Surtout sur le mariage ! Comment l'avait-on célébré ? Et que s'était-il passé ensuite ? Le fils du roi du Ciel et la fille du roi de la Terre avaient-ils vécu heureux et eu beaucoup d'enfants ?

Elle s'étira et bâilla malgré elle.

Insensiblement, l'obscurité avait entrepris l'ascension des collines, le temps avait fraîchi. Le ciel avait cessé de flamboyer depuis bien longtemps, et l'orange du soleil semblait être tombé dans un feu où il finissait lentement de rougeoyer.

Partout dans la cour, on s'était assis à même le sol pour le repas, et de petits groupes s'étaient constitués. Blando s'était rendormi.

Lorsque Vénéranda s'approcha avec un grand plat, Nyogokuru se leva de sa chaise avec raideur.

— Bonne nuit, les enfants, dit-elle à voix haute et intelligible. Il est temps de manger.

Et sur ces quelques mots, elle se retira dans sa maison, où elle allait prendre son repas en toute tranquillité avec tante Pascasia.

Peut-on oublier une sensation ?

Comme la morsure, sur la peau, d'un soleil très différent, beaucoup plus gros ?

Peut-on même la perdre lorsque, pour la troisième année déjà, on plonge dans la purée de pois d'une journée de novembre grise, froide et humide ?

Comment se sent-on alors, loin de son soleil ? Dans un pays étranger devenu si familier que ses images se sont superposées au souvenir comme des plaques de verre dépoli ?

Une journée qui vous saisit de ses doigts froids et fait s'écouler de vos veines la dernière goutte de chaleur ; une journée où le jour ne se lève même pas peut faire oublier ce qu'est le soleil.

Oublie-t-on aussi le parfum des patates douces ? Le goût qu'elles ont ? Eh bien, oui !

Non loin de chez nous, un magasin asiatique vient d'ouvrir ses portes. On peut y acheter presque tout ce que la terre produit. Y compris des patates douces.

Nous en mangeons ensemble, pour la première fois.

— Non, elles n'avaient pas vraiment ce goût-là, dis-tu. C'était un peu comme ça, oui, mais très différent en même temps.

Aujourd'hui, tu les trouves meilleures. J'essaie de comprendre :

— Mais quelle saveur avaient-elles ? Peux-tu me la décrire précisément pour que je la sente aussi ?

Tu dis que je suis ta jumelle. Nous sommes liées par nos prénoms.

C'est avec toi que je voyage dans le temps, avec toi que je me plonge dans les jours que tu as vécus loin de nous, avant de nous connaître.

Nous mangeons maintenant à même la casserole.

Piochant les jours de ton enfance comme autant de patates douces. À la recherche d'histoires. Elles aussi ne sont plus tout à fait ce qu'elles étaient, mais nous les portons quand même à notre bouche, assez près pour pouvoir les goûter.

Jeanne d'Arc des mille collines, tu es une combattante !

Ton pays au cœur de l'Afrique – à peine plus grand qu'un cœur, par rapport à la taille de ce continent. Un pays où coulaient jadis le miel et le lait.

Et le sang.

Urugo ruhirwe : « Bénie soit cette maison ».

C'est ce qu'on pouvait lire sur une des assiettes en rotin que les parents de Jeanne avaient reçues en cadeau de mariage, et qui, à côté de photos de famille encadrées, décoraient les murs du salon.

La maison familiale était située sur une colline, un peu en dehors de Kibungo. On pouvait toutefois rejoindre le centre-ville à pied en peu de temps.

Jeanne observait les habitants avec intérêt, mais elle ne faisait que les croiser, escortée de sa mère : sur le chemin de l'école primaire privée, où Florence enseignait de la quatrième à la sixième année[1] ; de passage à la poste, quand il fallait déposer ou aller chercher des lettres ; le dimanche à la messe, ou lors d'une des fréquentes visites à l'hôpital. Elle ne côtoyait véritablement aucun d'eux, à l'exclusion des amis et collègues de ses parents, ou des enfants qu'elle connaissait de l'école.

Florence ne cessait d'exhorter ses enfants à se tenir à l'écart des étrangers. Le mal était susceptible de se dissimuler partout, même derrière un visage amical : les vieilles femmes pouvaient offrir de la nourriture empoisonnée, les violeurs attirer les petits enfants avec des bonbons, les sorciers infliger par magie une maladie grave.

---

1. Le Rwanda a adopté le système scolaire belge : six années de primaire suivies de six années de secondaire (*N.d.T.*)

— N'acceptez jamais rien de personne ! ... N'utilisez jamais les toilettes publiques ! ... Ne restez jamais seuls avec quelqu'un qui ne soit pas de la famille ! ...

Les filles n'avaient rien à faire non plus avec le boy. On ne pouvait jamais savoir.

La vie de Jeanne, de Teya et de Jando se déroulait, protégée, dans l'enceinte de l'épaisse haie de cyprès clôturant la demeure familiale et l'abritant efficacement du dehors. Ils n'avaient pas même le droit d'aller chez leurs voisins s'ils n'y avaient pas été invités. Cela aurait été tout simplement inconvenant.

Mais la maison était grande, le jardin immense et la vie pleine d'aventures.

Un matin au mois de mai, presque un an après les vacances d'été chez Nyogokuru – les dernières, la maladie ayant eu raison d'elle peu après Noël –, Eugène s'arrêta devant chez eux vers six heures. Comme chaque jour de classe, le chauffeur venait chercher Ananie pour le conduire à son école, un lycée privé distant de vingt kilomètres. Les routes traversant le pays étaient si mauvaises que l'on était obligé de rouler lentement. Ananie devait donc se mettre en route au chant du coq s'il voulait arriver à temps.

Jeanne et Jando, debout près du portail, suivaient des yeux la silhouette élancée descendant à grands pas l'allée pavée.

Le soleil venait de se lever. Il était encore bas dans le ciel et ses premières lueurs commençaient seulement à chasser les ombres. Lorsque leur père se retourna pour leur faire signe, les verres de ses lunettes renvoyèrent des éclats prometteurs.

Ananie était arrivé près de l'auto. Il se courba, rentra la tête, se glissa sur le siège à côté d'Eugène et claqua la portière derrière lui. La voiture, un pick-up cinq places, démarrait déjà. Sur le trajet, elle s'arrêterait plusieurs fois pour prendre d'autres passagers : des élèves habitant à Kibungo et n'ayant pas les moyens d'être logés à l'internat. Ou encore des voisins, qui voulaient qu'on les emmène sur un bout de chemin.

Peu de personnes possédant une automobile, beaucoup étaient tributaires du covoiturage. Ananie et sa famille, eux, avaient la chance d'avoir en permanence à leur disposition véhicule de service et chauffeur. Ananie ne conduisait pas, mais il roulait en moto.

Jeanne avait le sentiment que son père était toujours un peu absent, ne leur témoignant que des marques d'attention fugitives, quoique affectueuses, lorsqu'il arrivait et partait. Quand il était là, habituellement retranché derrière un livre, il s'enfermait le plus souvent dans le silence. En promenade, il avait régulièrement un pas d'avance ou se trouvait près des nuages, bien au-dessus de la tête des enfants, d'où il dispensait ses interminables leçons de choses sur les phénomènes de la nature.

Il n'y avait que lorsque Jeanne était assise juste derrière son père, sur la selle arrière de sa moto, qu'elle pouvait vraiment le toucher en se cramponnant à lui.

Mais, même alors, elle était en contact avec son dos, seulement.

— À vos marques, prêts, partez ! commanda Jeanne.

Elle donna une grande bourrade à son frère et fila, parce qu'elle voulait être la première à atteindre la maison.

Mais Jando l'avait rattrapée en quelques foulées. Il agrippa l'encolure de son tee-shirt et la tira brusquement vers lui.

— Où as-tu encore caché ma chaussure ? gronda-t-il.

Ses yeux lançaient des éclairs comme les verres des lunettes de leur père.

Jeanne gloussa à la vue de ses pieds dépareillés. L'un était à l'aise dans sa sandale, tandis que l'autre devait saluer le jour... nu.

— Cherche-la toi-même ! Cherche-la toi-même ! lança-t-elle en riant.

Vivement, Jando entoura de ses bras le torse de Jeanne et serra.

— Je compte jusqu'à trois ! siffla-t-il.

— Aïe ! Je ne peux plus respirer !

Le souffle court, elle se retourna, sans chercher sérieusement à se dégager car elle savait que Jando ne lui ferait jamais mal.

La cravate faisait partie du jeu, elle la supporterait et la savourerait tout à la fois, sans révéler un traître mot sur l'endroit où elle avait caché la chaussure, naturellement. Tôt ou tard, Jando la relâcherait et se mettrait à sa recherche en pestant. Cette fois, il lui faudrait longtemps pour trouver sa sandale ! S'il la trouvait. Mais ils avaient tout leur temps.

C'était en effet une journée à part. Un des rares jours au beau milieu de la semaine où ils ne devaient pas aller à l'école, parce que les enseignants avaient une réunion. Seule Florence devait s'y rendre, et laisser les enfants sous la surveillance de Julienne, la domestique.

— Dédé ! Jando ! Mais où êtes-vous passés ? Vous voulez bien vous occuper de Teya ?

Comme toujours peu avant son départ, Florence avait l'air énervée et essoufflée, car le temps lui échappait. Avant la classe, elle allait à la messe et, jour après jour, la matinée semblait se dérober à ses projets. Souvent, elle était si pressée qu'elle n'avait même pas le temps de prendre son petit déjeuner.

Jeanne connaissait sa mère comme une femme calme et maîtresse de soi, n'élevant jamais le ton. Mais ces moments la rendaient nerveuse, et l'on devinait qu'elle aussi pouvait s'emporter.

À présent, Florence courait vers la porte, dans une des robes d'été claires qu'elle mettait pour l'école. Elle se coiffait encore. Avec la pointe de son peigne à queue, elle tirait impatiemment sur ses cheveux crépus, tentant de les aplatir mèche par mèche pour qu'ils ne se dressent pas dans toutes les directions. Les mouvements furieux de ses bras maigres donnaient l'impression qu'elle cherchait à les punir de se montrer indisciplinés.

— Regardez un peu où est Teya ! demanda-t-elle. Et, s'il vous plaît, allez voir Zingiro après votre petit déjeuner, je n'aurai pas le temps de lui parler. Dites-lui que ce midi, il doit préparer un ragoût de poulet, de bananes plantains et de petits pois. Bernadette vient manger avec moi. Qu'il achète la viande au marché.

Jeanne leva les yeux au ciel. Elle n'avait pas envie de chercher Teya. Elle n'avait pas non plus envie de petit-déjeuner, car si tôt le matin, son estomac se rebellait contre toute nourriture. Mais surtout, elle n'avait aucune envie d'aller voir Zingiro.

Il était employé depuis peu par sa famille, et elle ne l'appréciait pas. Outre le fait que le jeune homme de dix-sept ans, novice, se montrait souvent maladroit et n'était pas au courant de grand-chose, il faisait preuve d'une paresse inouïe. Apparemment dépourvu de motivation, il se traînait toute la journée et avait l'air foncièrement bougon.

— Allez, vous deux, dépêchez-vous un peu ! ordonna Florence. Je dois m'en aller, maintenant.

Mais partir à la recherche de Teya s'avéra inutile : au même moment, elle sortait de sa chambre en se pavanant, habillée de pied en cap et l'air farouchement déterminé. Elle avait mis son uniforme scolaire.

Teya, qui n'avait que cinq ans, n'était pas encore inscrite à l'école. Sa mère l'y emmenait simplement en tant qu'élève libre, comme Jeanne les années précédentes.

Pourtant, elle avait insisté pour avoir un uniforme. Et l'avait obtenu, comme d'habitude.

Florence fixait sa benjamine d'un air désemparé :

— Mais qu'est-ce qui te prend ?

Teya ouvrit grand les yeux et planta son regard dans celui de sa mère.

— Je viens avec toi, répliqua-t-elle avec assurance.

— Tu racontes n'importe quoi ! s'exclama Florence. Tu ne peux pas m'accompagner. J'ai une réunion.

— Moi aussi, déclara Teya.

Florence réprima un sourire. Puis elle soupira avec irritation :

— Et maintenant, tu rentres à la maison et tu enlèves cet uniforme !

Teya ne bougea pas d'un pouce.

— Mais je veux aller avec toi ! insista-t-elle.

Florence fronça les sourcils. Son visage prit l'apparence d'un triangle de signalisation.

— Te-ya, dit-elle.

Pas plus. Mais son ton en disait long.

Teya, qui voulait toujours avoir le dernier mot, ignora l'avertissement.

— Pourquoi je ne pourrais pas venir ? Tu y vas bien, toi ! pleurnicha-t-elle.

Sans un mot et avec une grande sévérité, Florence fit retentir sa réponse sur les fesses de sa fille.

Pendant une seconde, le temps de la réaction, le silence régna. Jeanne et Jando échangèrent un regard éloquent puis se bouchèrent les oreilles, car ils savaient ce qui se préparait.

Aussitôt après, le hurlement de sirène attendu résonna.

Teya criait et criait, sans plus s'arrêter. Ses joues rondes tremblaient tandis qu'elle exhalait sa colère sur des tons perçants, ses petites jambes plantées dans le sol.

Exaspérée, Florence la saisit par les épaules et la poussa à l'intérieur.

— Julienne ! appela-t-elle. Viens t'occuper de Teya, je n'ai plus le temps.

Sans accorder un regard ou un mot de plus à sa fille hurlante, elle se détourna et entra vivement dans son bureau, tout en recommençant à se peigner à la hâte.

Lorsque Julienne se précipita hors de sa chambre, Jeanne et Jando, haussant les épaules, tournaient eux aussi les talons. Ils prirent tranquillement le chemin de la cuisine, toujours poursuivis par les cris de leur sœur.

Jeanne et Jando quittèrent la maison par la porte de derrière, et traversèrent sans se presser la terrasse donnant sur la grande arrière-cour. Celle-ci accueillait quelques autres bâtiments, de taille plus modeste.

Le petit local abritant un groupe électrogène était situé entre la cuisine et la réserve, qui était flanquée d'une pièce dans laquelle vivait le domestique.

Un sentier menait à des cabinets minuscules, dans lesquels se trouvaient des toilettes à la turque.

L'arrière-cour constituait le centre d'approvisionnement de la famille. Juste à côté de la cuisine, Florence avait aménagé de généreux carrés de légumes où l'on pouvait, selon le besoin, récolter tous les produits frais nécessaires aux repas : tomates, oignons, choux, salades, carottes, haricots verts, épinards et céleri y prospéraient sous les doigts du domestique et la surveillance vigilante de Florence.

Près de la terrasse s'élevait un avocatier qui dispensait tout au long de l'année ombre et fruits.

En traversant l'arrière-cour avec Jeanne, Jando se pencha par-dessus la clôture grillagée séparant cour et verger, tendit la main et arracha un cœur de bœuf* qui pendait à sa hauteur.

— Donne-m'en un morceau ! le supplia Jeanne.

Elle n'avait peut-être pas faim, mais jamais elle n'avait pu résister à un cœur de bœuf.

De bonne grâce, Jando ouvrit le tendre fruit vert clair et en offrit la moitié à Jeanne, qui y plongea les doigts pour ôter les pépins durs et luisants.

« On dirait des larmes noires », se dit-elle, et elle les jeta négligemment par terre. En d'autres occasions, il lui était arrivé de rassembler et de garder soigneusement les petites graines, car on pouvait s'en servir pour une foule de choses : jouer à la marchande, compter, organiser des concours de cracher de pépins ou « cuisiner », quand on jouait au papa et à la maman.

Jeanne pressa les lèvres contre la peau du fruit et aspira la pulpe sucrée. Quelques fibres fines restèrent collées à ses joues. Elle essaya de s'en débarrasser du bout de la langue. Son regard tomba alors sur Jando qui, tout comme elle, passait avec ardeur la langue autour de ses lèvres. Ils échangèrent un sourire.

Entre-temps, ils étaient arrivés à la cuisine.

Le hurlement de Teya, qui les avait suivis sans interruption, s'éteignit. Florence venait probablement de quitter la maison.

— Voyons un peu ce qu'il fabrique, dit Jando.

Il voulait parler de Zingiro, qu'ils avaient souvent surpris à fainéanter.

Les employés avaient pour tâche de prendre le lait frais apporté au petit matin par les fermiers et de préparer le petit déjeuner, avant que tout le monde ne se lève. Ils devaient faire les courses et les repas, aller chercher l'eau, tenir la cuisine en ordre et veiller à ce que les denrées soient correctement conservées, hors d'atteinte des souris. Le soir, ils devaient garder la maison.

Les bonnes prenaient en charge l'autre partie des travaux domestiques : ménage, rangement, lessive et, de temps en temps, surveillance des enfants.

Jando poussa la porte.

Zingiro était assis devant le plan de travail, face à la fenêtre, leur tournant le dos. Il prenait son petit déjeuner. L'odeur des œufs frits remplissait la pièce – comme la musique qui s'échappait avec force d'un lecteur de cassettes.

Lorsque les deux enfants l'appelèrent pour qu'il remarque leur présence, Zingiro tourna la tête et les regarda d'un air impassible, les yeux mi-clos.

— Maman te fait dire que tu dois préparer du ragoût de poulet, de bananes plantains et de petits pois, annonça Jando. Elle amène son amie Bernadette pour le repas. Et Teya et moi, on voudrait petit-déjeuner tout de suite. Moi aussi, je veux un œuf !

Zingiro marmonna quelque chose d'incompréhensible et se consacra de nouveau à son petit déjeuner en toute quiétude.

Aux côtés de son grand frère, Jeanne se risqua exceptionnellement à pénétrer dans la vaste cuisine. Elle était excitée à l'idée de fureter dans ce terrain défendu. Après avoir prudemment lancé un regard en coin à Zingiro, qui engouffrait ses œufs brouillés sans se laisser troubler, elle se dirigea d'une allure décidée vers l'une des hautes étagères fixées au mur. Jando lui emboîta le pas.

Curieuse, Jeanne leva la tablette en bois posée sur un saladier, jeta un œil dessous et fit une grimace de dégoût.

Du lait caillé.

Cette seule pensée lui donnait la nausée. Elle se dressa sur la pointe des pieds et mit le nez dans une cruche en terre cuite, dans laquelle, comme elle l'espérait, elle découvrit du jus de fruit de la passion. Mais lorsqu'elle voulut soulever la cruche, elle faillit tomber à la renverse. Le récipient était bien trop lourd pour elle.

— Tu m'en verses un peu ? demanda-t-elle à Jando.

Il lui en servit un plein gobelet.

Tout en buvant à petites gorgées, elle examina attentivement la pièce. Son regard s'arrêta brièvement sur un gros régime de bananes à cuire qui pendait au plafond, attaché à un crochet. La provision de toute une semaine.

La cuisine n'était pas rangée. À côté du gril s'entassaient poêles et gamelles sales.

Quelques sacs remplis de pois secs, de farine de manioc* et de riz traînaient ouverts sur le sol, au lieu d'être accrochés en haut des étagères où ils seraient à l'abri de la poussière et des petits rongeurs.

Dans un coin, des bidons d'eau et d'huile alimentaire vides formaient un empilement instable.

Beaucoup de travail attendait Zingiro ; il lui faudrait se hâter s'il voulait avoir fini de ranger et de cuisiner avant le retour de Florence, à midi. Elle ne tolérerait jamais un tel désordre.

— Et puis, il faut aussi que tu ailles acheter la viande au marché, ajouta Jando, menant à bien sa mission.

Zingiro se leva pesamment. Bien qu'il soit presque un homme, il ne dépassait Jando, âgé de onze ans, que d'une tête. Solide, il semblait avoir poussé en largeur plutôt qu'en hauteur. Il traîna les pieds jusqu'à la fenêtre et monta le volume de la musique.

Inyenzi tuzitsembatsembe, inyenzi tuzimene Umutwe [...], chantait le magnétophone. *Il faut exterminer les cancrelats*. Il faut couper la tête aux cancrelats [...]*

En entendant cet air familier, malgré elle, Jeanne eut des fourmis dans les pieds et les mains.

La chanson, très populaire, était souvent entonnée en cours de musique à l'école, quand les enfants avaient le droit de choisir un chant. On pouvait la claironner, et son rythme enflammé s'emparait des bras et des jambes, poussant chacun à taper dans ses mains et à battre du tambour.

Mais, pour une raison inexpliquée, Florence et Ananie avaient interdit à leurs enfants de chanter cet air en leur présence.

— Ce n'est pas une bonne chanson, avait sèchement expliqué leur mère.

Et elle avait affiché une expression si farouche qu'aucun d'entre eux n'avait osé objecter quoi que ce soit ou demander pourquoi. Même Teya avait tenu sa langue.

[...] Nous allons écraser la tête des cancrelats.

Les serpents sont venimeux. Nous devons leur trancher la tête. Nous avons déjà supprimé le chef des cancrelats [...]

Les paroles, assourdissantes, résonnaient dans toute la pièce.

— Apporte-nous tout de suite le petit déjeuner ! exigea Jando.

— Vous n'avez qu'à le prendre vous-mêmes ! grogna Zingiro. J'ai beaucoup trop de choses à faire.

Il ne se permettait ce ton sec que lorsque Florence n'était pas dans les parages.

— Je voudrais un œuf, répéta Jando avec énergie.

Et il quitta la cuisine avec Jeanne.

Après qu'ils eurent fermé la porte derrière eux, Jeanne poussa un soupir de soulagement :

— Pfff ! Ce qu'il est de mauvaise humeur !

Jando hocha la tête d'un air sombre :

— Il faut le tenir à l'œil. Et si cette nuit, quand tout le monde dormira, on sortait discrètement dans le jardin pour voir ce qu'il fait ?

Jeanne accepta sa proposition avec enthousiasme. Aux côtés de Jando, elle était prête à tout.

— Rhabille-toi juste après la prière et attends que je vienne dans ta chambre. Tu crois que tu arriveras à rester éveillée aussi longtemps ?

— Bien sûr ! lui assura Jeanne. Et qu'est-ce que tu dirais de lui faire peur ? Avec des vers luisants !

Jando rit.

— C'est d'accord ! lança-t-il avec entrain.

À cette période de l'année, après les fortes pluies d'avril, la végétation faisait craquer les coutures de la terre et une nuée de vers luisants envahissaient le jardin en fin de soirée. De minuscules points lumineux dansaient dans l'obscurité, tourbillonnant et voltigeant. Il suffisait de tendre la main pour en attraper aussitôt plusieurs.

Les enfants prenaient grand plaisir à se transformer en fantômes à l'aide de ces insectes.

Ils se collaient des vers luisants sur les ongles et au-dessus des sourcils, puis cherchaient à s'effrayer mutuellement en jaillissant de derrière un buisson ou un arbre, doigts écartés et poussant des cris terrifiants.

Mais Jeanne n'avait pas peur des revenants. Elle manquait de fantaisie pour croire à la sorcellerie ou être superstitieuse. Son esprit avait sa place dans le monde des mathématiques, où elle pouvait se déplacer en toute sécurité, et dans celui de la logique des phénomènes naturels, dont elle voulait explorer les mystères.

Un soir, Jando et elle avaient enfermé plusieurs vers luisants dans une bouteille, avec l'intention de les examiner sous tous les angles le lendemain matin, à la lumière du jour, et de percer le secret de leur phosphorescence. Ils avaient ainsi pu observer des insectes vert clair semblables à des mouches, avec un abdomen jaune maïs.

Cette découverte avait amusé Jeanne et lui avait donné quelques idées incongrues.

— Tu te rends compte, si tu avais une lampe à la place des fesses..., avait-elle murmuré.

Et Jando, ravi, était immédiatement entré dans son jeu.

À s'imaginer tout ce que l'on pourrait entreprendre avec un derrière lumineux, et ceux sur qui il ferait le plus d'effet, ils avaient manqué étouffer de rire. Ils avaient rivalisé de bêtise et ne s'étaient interrompus qu'une fois que l'inspiration leur avait fait défaut.

Tu m'as appelée

Ce matin, tu ne t'es pas montrée au petit déjeuner.

Tu dis que tu ne veux pas te lever. Que tu ne veux aller nulle part.

À quoi bon ? Il n'y a pas d'avenir, dis-tu. Pourquoi y aurait-il un avenir quand, brusquement, du jour au lendemain, tout peut disparaître. Pour toujours.

Que répondre à ça ? Aucune phrase ne me vient à l'esprit. Et puis, une fois qu'on en commence une, il faut l'achever.

Tu n'as que quatorze ans, et tu penses que tu n'as pas d'avenir. Je n'ai pas de phrases pour toi. Pas pour le moment. Juste des mots murmurés un à un à ton oreille, pendant que je te serre dans mes bras.

Ta vie est un cadeau. Malgré tout. Surtout en cet instant.

C'est ce que je ressens.

Je te tiens et te ramène. Encore un petit pas par ici. Juste un tout petit pas vers moi.

Hier encore, tu semblais égale à toi-même. Tu as mangé et bu. Tu es sortie et rentrée. Tu as parlé au téléphone et ri, comme si de rien n'était.

Et puis ?

Je ne sais pas. Peut-être as-tu lu ? Regardé par la fenêtre ? Fait les cent pas dans ta chambre ? Je ne sais pas.

Je n'ai vu aucun des signes.

Depuis plusieurs jours déjà, tu dis que tu traverses les nuits sans dormir, assaillie par les images affreuses du souvenir.

Tu n'en veux pas. Tu te débats, tu pleures. Tu tombes toujours plus bas, tout en essayant de vaincre la nuit. Puis le jour suivant. Tout en essayant de faire comme si de rien n'était.

Aujourd'hui, enfin, tu m'as appelée.

Il faut toujours m'appeler. Chaque fois que tu en arrives là.

Jeanne s'élança. Elle passa devant les toilettes et se mit à contourner la maison.

Jando devait l'attraper.

Il attendit un peu avant de se lancer à sa poursuite. Dix pas d'avance, c'est ce qui était convenu. Jeanne courait aussi vite que ses jambes le lui permettaient. Ce jour-là, elle pouvait gagner contre Jando. Avec une seule chaussure, il était clairement désavantagé.

Plus tard, allongée dans son lit et dressant en silence la liste de ses péchés de la journée, entre le Notre Père et la prière du soir, elle avait l'intention de le confesser, comme elle en avait l'obligation.

En effet, elle n'avait pas le droit de courir. Tout effort lui était interdit. Quand elle se fatiguait trop, il arrivait qu'elle tombe et perde connaissance. Elle revenait à elle oppressée, avec une pierre dans la poitrine.

— Petite, tu as eu la poliomyélite, lui avait expliqué Florence. C'est pour ça que tu dois te ménager.

Jeanne n'était pas d'accord. Elle était contrariée que le côté gauche de son corps, manquant bizarrement de vigueur, refuse d'obéir à ses mouvements. Elle n'aimait pas devoir rester tranquille quand les autres faisaient les fous, ni constater que sa petite sœur était plus rapide qu'elle.

Peu avant qu'elle n'atteigne la porte de devant, Jando l'avait presque rejointe. Il tendit le bras pour l'attraper. Mais au dernier moment, elle se jeta en avant et tapa le mur du plat de la main.

— Gagné ! dit-elle en haletant.

— Attends un peu que j'aie retrouvé ma sandale ! ronchonna-t-il.

Côte à côte, ils entrèrent dans le salon.

Cette pièce ne leur était pas destinée. C'était la plus grande de la maison, une sorte de salle de réception qui ne servait que lorsque leurs parents recevaient.

De confortables fauteuils en bois habillés de noir et un grand canapé invitaient à la conversation. Juste à côté de la porte se trouvait une vitrine haute remplie de verres et de belle vaisselle.

Du canapé, à travers les deux fenêtres, on voyait le jardin de devant. Mais le regard, freiné par un lourd rideau de fer losangé, ne pouvait pas vagabonder. Tout autour de la maison, des grilles fixées aux fenêtres protégeaient les occupants des intrus. Même la porte d'entrée en métal était munie d'une vitre grillagée. La nuit, quand tout était verrouillé, la propriété faisait l'effet d'une forteresse.

Florence n'oubliait jamais de garnir le salon de fleurs du jardin. Un grand vase en verre, posé sur un vieux tambour faisant office de guéridon, accueillait ce jour-là un opulent bouquet de roses pâles qui exhalaient leur parfum.

En arrivant dans le couloir, Jeanne et Jando virent Julienne se diriger vers eux, la mine sombre, armée d'un seau et d'un balai-brosse.

C'était une jolie jeune fille gracile. Elle n'avait pas encore quinze ans. Sa robe d'été bleu clair s'arrêtait au-dessus du genou et laissait voir des jambes droites et minces. Les lanières rouges de ses sandales en caoutchouc étaient tendues entre les orteils de ses pieds étroits. Julienne attachait de l'importance à son apparence. Sa peau très sombre, impeccable en dépit des travaux domestiques quotidiens, avait l'éclat du velours mat. Elle se coiffait différemment chaque jour. Ce matin-là, elle avait entrelacé des rubans colorés dans ses cheveux mi-longs ; trois grosses tresses partaient d'un côté de sa tête.

Sans un mot, elle posa son seau, en sortit une serpillière dégoulinante, l'essora et l'enroula autour de la brosse. Elle se détourna et se mit, tête baissée, à pousser sans entrain le balai devant elle. À chacun de ses pas, les semelles de ses sandales claquaient comme des gifles sur la surface lisse du linoléum humide.

— Tu voudras une leçon de lecture, après ? lui demanda Jando.

Elle se retourna vivement. Lorsqu'elle leva la tête pour le regarder, son visage s'était visiblement éclairé.

— Si je me dépêche, je peux avoir fini mon travail dans deux heures environ, dit-elle, pleine d'espoir.

Depuis quelques semaines, Jando donnait des cours de lecture et d'écriture à Julienne.

Jeanne était profondément déçue par la proposition de son frère. Un matin sans école, il devait être là pour elle ! Juste pour elle.

— Et où est Teya ? s'enquit-elle de manière provocante.

— Dans sa chambre, toujours vexée, répondit Julienne.

— Tu ne peux pas avoir de leçon de lecture aujourd'hui. Maman a dit que tu devais t'occuper de Teya ! asséna Jeanne d'un ton clairement menaçant.

— Et de toi ! répliqua Julienne, imperturbable. Vous n'aurez qu'à rester près de nous.

— Je le dirai à Maman.

— Oh, allez Dédé, arrête un peu tes chichis, maintenant ! intervint Jando. Ça ne durera pas aussi longtemps, cette fois. On aura encore plein de temps pour jouer, après.

— Et puis, si tu as envie, je coudrai avec toi ensuite ! promit Julienne.

La porte de la chambre de Teya s'entrouvrit. Un petit bras en sortit lentement et resta immobile entre porte et encadrement, tendu comme la hampe d'un drapeau. À son extrémité se balançait, en guise de bannière, la sandale de Jando.

Ce dernier fit un bond en avant et s'empara de sa chaussure. Au même moment, Jeanne ouvrait la porte d'un coup brusque.

— Aïe ! cria Teya en trébuchant.

Elle portait toujours son uniforme.

— Tu es méchante ! lui reprocha Jeanne. Il faut toujours que tu me gâches le plaisir !

— Et qui a mis la chaussure dans mon coffre à jouets ? persifla Teya.

Jeanne encaissa le coup. Elle n'avait pas prévu que sa petite sœur irait fouiller dans sa malle, ce jour-là.

Teya y stockait des tas de poupées de chiffon.

Une boule de papier enveloppée d'un morceau de tissu, et la poupée avait déjà une tête. Les yeux et le nez, des boutons, étaient fixés avec quelques points ; la bouche, une simple entaille, était ourlée d'un fil de laine. On garnissait d'autres bouts de tissu avec des lambeaux de vieux linge et de ouate, pour rembourrer ventre, bras et jambes. On cousait ensuite les membres au corps. La poupée était terminée. Pendant un moment, on l'emportait fièrement partout avec soi, sur son dos, puis on la mettait coucher. Et c'était tout. On ne jouait qu'une fois avec ce genre de poupée : quand on venait de la confectionner. Après ça, elle perdait de son attrait et atterrissait dans le coffre, avec tous les autres jouets oubliés.

Jeanne était persuadée que jamais, au grand jamais, Jando n'aurait retrouvé sa sandale sous la montagne de poupées de Teya. Le soir venu, en gage, il aurait dû l'échanger. Contre une de ses nombreuses bandes dessinées, par exemple.

— T'es vraiment bête ! maugréa-t-elle, et elle poussa Teya.

Teya répondit en poussant Jeanne. Qui poussa Teya. Qui poussa Jeanne.

Jeanne riposta.

Teya aussi.

Elles se fixaient, furieuses. Jeanne savait pertinemment que Teya n'arrêterait pas tant qu'elles n'auraient pas échangé le même nombre de coups. Mais cette fois, elle non plus ne voulait céder à aucun prix.

Finalement, Jando s'interposa. Alors que Teya s'apprêtait à frapper de nouveau sa sœur, il lui saisit le bras et mit Jeanne en garde :

— Arrête, Dédé ! Tu veux qu'elle se remette à hurler ?

Puis il se tourna vers la benjamine :

— Viens, Teya, on va voir Zingiro et chercher notre

petit déjeuner. Je lui ai demandé de nous préparer des œufs. Et après, il faudra que tu enlèves ton uniforme !

Teya reniflait. Elle foudroya une dernière fois Jeanne du regard, avant de laisser Jando la conduire dehors par la main, sans opposer de résistance.

Pendant la dispute, Julienne avait continué à nettoyer le sol, parfaitement indifférente. À présent, elle laissait tomber la serpillière dans le seau, s'essuyait les mains à la robe et fixait Jeanne d'un air impassible :

— Si tu ne comptes pas manger ce matin, tu n'as qu'à m'aider à faire la lessive ! Comme ça, on terminera plus vite la leçon de lecture.

Jeanne haussa les sourcils. Cette logique lui échappait. Le cours durait ce qu'il durait ; cela n'avait rien à voir avec la lessive, enfin ! Elle s'apprêtait déjà à ouvrir la bouche pour en informer Julienne, mais elle se retint à temps. Mieux valait laver le linge que de s'ennuyer. Pleine de bonne volonté, elle suivit Julienne dans la cour, trottant jusqu'au lavoir où la domestique, aussitôt après s'être levée, avait mis les vêtements à tremper dans une bassine en zinc.

Julienne sortit de l'eau trouble une des chemises de Jando, la tint en l'air à contre-jour, pour mieux voir les taches, l'étala et se mit à frotter vigoureusement le tissu.

— Prends tes culottes, ordonna-t-elle à Jeanne. Il commence à être temps que tu les laves toi-même.

Quelques fois déjà, elle avait clairement fait comprendre que Jeanne et Teya étaient bien trop gâtées selon elle.

Jeanne chercha ses habits du regard et pêcha quelques petites culottes dans la lessive, laissant aussitôt retomber celles de Teya.

Hésitante, attendant d'autres instructions, elle cligna des yeux dans la direction de Julienne.

Mais celle-ci serrait les lèvres et fixait un point indéfini au loin, tandis que ses bras continuaient de s'agiter machinalement.

Habituellement, Julienne bavardait gaiement en travaillant, mais ce jour-là, elle traitait le linge sans ménagement, sans dire un mot ni accorder d'attention à Jeanne.

— C'est bien, comme ça ? demanda Jeanne au bout d'un moment, rompant le silence pesant.

Elle frottait de toutes ses forces le tissu de la culotte, s'efforçant d'imiter Julienne pour s'attirer son indulgence.

La jeune fille ne répondit pas. Brusquement, elle rejeta dans la lessive le tee-shirt qu'elle venait de presser et s'appuya au bord de la bassine. Ses jointures pâles ressortaient sur la peau sombre de ses doigts.

— Je dois retourner à la maison ce week-end, dit-elle. Pour plus longtemps, peut-être. Ma mère est à l'hôpital. Elle a la malaria.

C'était donc ça ! Julienne était mal lunée parce qu'elle devait rentrer chez elle. Pendant son absence, elle ne toucherait pas ses gages.

Elle devait remettre à sa nombreuse famille une partie de sa très faible paie journalière, mais elle pouvait garder le reste.

Et Jeanne savait qu'elle économisait dur.

Car Julienne avait des projets. Elle voulait se rendre dans la capitale, à Kigali*. Elle avait besoin de cet argent pour payer le trajet en bus et, le cas échéant, s'en sortir sans travail les premiers temps.

Souvent déjà, devant les enfants, elle avait peint l'avenir sous les couleurs les plus alléchantes : à Kigali, les bonnes gagnaient bien mieux leur vie ! Sa sœur y habitait et le lui avait raconté. Quand on avait la chance d'être recommandée à une famille riche, il arrivait même qu'on ne doive plus faire le ménage, mais seulement s'occuper des enfants.

— Et un jour, j'aurai un autre travail, c'est sûr. Dans un magasin de tissus. Et là, j'mettrai d'l'argent d'côté pour m'acheter une machine à coudre, et je fabriquerai de très jolies robes que je vendrai sur le marché. J'vous l'dis, je deviendrai riche ! Et un jour, j'aurai ma propre boutique. Et un mari riche. Et mes enfants iront dans les meilleures écoles ! se vantait-elle.

À ces derniers mots, elle élevait la voix et un pli vertical se soulevait au-dessus de la racine de son nez ; un minuscule bâton, dressé comme pour frapper. Et les commissures de ses lèvres esquissaient un sourire crispé qui n'avait rien de joyeux.

Jeanne suivait généralement ces discours avec ébahissement. Elle ne doutait pas que Julienne puisse réaliser un jour ses rêves, mais elle ne comprenait pas qu'on veuille aller à Kigali.

Elle-même connaissait la capitale d'après les visites à sa tante Rose, qui travaillait pour l'O.N.U. et habitait le centre-ville. À aucun prix, Jeanne n'aurait voulu y rester plus de quelques jours. Il n'y avait aucun endroit où jouer, on n'avait pas le droit de bouger et il fallait toujours donner la main dehors. Les gens affichaient de grands airs et les enfants des voisins étaient prétentieux.

— Je n'aime vraiment pas Kigali, on ne peut rien y faire, avait-elle confié un jour à Julienne.

Ce à quoi la domestique avait répliqué avec un reniflement dédaigneux :

— Qu'est-ce que t'y connais, toi !

Julienne venait d'une famille de paysans. Ils étaient onze ; deux de ses sœurs travaillaient aussi comme employées de maison, et un de ses frères comme garçon vacher.

Les parents de Julienne ne possédaient pas de bétail, juste de la terre sur laquelle ils cultivaient maïs et légumes. Et, bien que quatre enfants aient déjà quitté la maison, les maigres récoltes suffisaient tout juste à nourrir le reste de la famille. À son grand regret, Julienne n'était jamais allée à l'école. Frais de scolarité, livres, uniforme – tout cela demandait de l'argent.

Depuis que Jeanne, cachée dans un des arbres fruitiers, avait surpris un jour une conversation entre Julienne et Zingiro, elle savait en outre que le père de

Julienne se saoulait régulièrement. Et battait femme et enfants.

Jeanne n'en avait pas cru ses oreilles. Il était inimaginable pour elle que son père lève la main sur quelqu'un. Il ne punissait jamais ses enfants de la sorte. Et elle n'avait jamais vu ses parents se disputer.

Elle regarda Julienne et se demanda combien de temps il faudrait à la jeune fille pour rassembler assez d'argent. Mais, à cet instant précis, Julienne semblait bien loin de songer à son avenir.

— Je dois rentrer chez moi pour m'occuper des petits, dit-elle avec amertume.

Avec un soupir, Julienne mit finalement la brosse de côté.

— Donne-moi un coup de main ! exigea-t-elle.

Jando et Teya quittaient justement la cuisine, traversant la cour avec leur petit déjeuner.

À tout de suite ! lança gaiement Jando, mais Jeanne fit mine d'être très occupée.

Il fallait encore procéder au rinçage ; plusieurs gros bidons d'eau fraîche les attendaient déjà. Le linge devait être arrosé abondamment, jusqu'à ce que la pureté de l'eau indique qu'il ne restait plus aucune trace de lessive.

Le soleil s'élevait maintenant en oblique devant l'avocatier. Quelques-uns de ses rayons perçaient l'épaisse frondaison, se posant sur les épaules de Jeanne et couvrant son front de minuscules perles de sueur.

La porte de la cuisine s'ouvrit. Zingiro en sortit avec deux cabas, s'apprêtant manifestement à aller au marché. Mais il mit d'abord le cap sur le lavoir et se campa devant Julienne, cherchant visiblement à faire bonne figure :

— Tu pourras m'éplucher des bananes à cuire dès que tu auras fini ici ? Sans ça, je n'arriverai pas à préparer le repas pour midi.

Souvent déjà, Julienne avait tiré Zingiro d'affaire, car les employés de maison se serraient habituellement les coudes. Mais pour l'instant, elle secouait catégoriquement la tête.

Jeanne soupçonnait Julienne de ne vouloir renoncer pour rien au monde à sa leçon de lecture, les occasions n'étant pas si fréquentes. En outre, l'épluchage des bananes plantains était un travail particulièrement désagréable, les mains se couvrant de taches noires et collantes.

— S'il te plaît ! dit Zingiro.

— Non ! répondit Julienne, peu loquace.

Et elle essora le jean.

— Allez, Julienne, insista-t-il. Si je ne viens pas à bout de mes tâches aujourd'hui, je vais avoir de gros ennuis. Mama Jando[1] a déjà menacé de diminuer mon salaire.

— Et alors ? riposta la jeune fille. Tu n'as qu'à t'y mettre plus tôt. Tu m'appelles sans arrêt à la rescousse. Pas aujourd'hui !

---

1. En Afrique, il est d'usage d'appeler une mère par le nom de son aîné(e). *(N.d.T.)*

— Je m'en souviendrai ! aboya-t-il, et il s'en alla en pataugeant dans la boue, très irrité.

Après le repas de midi, Jeanne se glissa hors de sa chambre, désireuse d'échapper à la sieste imposée chaque jour. Elle n'arrivait pas à dormir durant la journée. Il faisait trop clair et trop chaud, et elle débordait encore d'énergie.

Pourtant, Florence entendait qu'on respecte cette pause. Elle-même en avait besoin pour retourner faire la classe reposée, vers deux heures de l'après-midi.

Même quand Jeanne obéissait en restant à l'intérieur, elle ne dormait généralement pas. Elle préférait bavarder avec Teya, ou avec Jando. Elle le joignait dans sa chambre grâce à un téléphone en boîtes de conserve qu'elle avait bricolé elle-même.

Mais il arrivait que Jando veuille lire, et Teya, qui avait encore besoin de sommeil, somnolait souvent juste après le repas. Dans ces cas-là, Jeanne avait l'habitude de quitter la maison et de se cacher dans le verger, dans un des arbres dont la cime s'élevait dans le ciel. Certains d'entre eux avaient des ramifications si serrées qu'il n'était pas très difficile d'y grimper et de se dissimuler dans l'épais feuillage.

Ce jour-là, Florence, moins attentive que d'habitude, s'était retirée dans son bureau avec Bernadette, aussitôt après le repas.

Jeanne n'avait donc eu aucun scrupule à s'évader de la maison pour monter dans son arbre préféré, celui aux *amapera**, qui poussait tout près de la clôture séparant le verger de l'arrière-cour.

Elle s'était assise sur une solide fourche et adossée au puissant tronc, jambes pendantes.

Cet emplacement lui offrait une parfaite vue d'ensemble. À droite, sur l'immense prairie devant la haie de cyprès – vaste aire de jeux pour les enfants, et terrain de football pour Jando. À gauche, sur la cour et les bâtiments annexes.

Pour le moment, elle regardait la cour en contrebas.

Entre-temps, Zingiro était sorti par deux fois de la cuisine, avec une cuvette d'eau sale qu'il avait vidée au-dessus du lavoir, sans se préoccuper des éclaboussures sur le linge mis à sécher sur la corde.

Le jeune homme était manifestement furieux.

Comme il fallait s'y attendre, il n'avait pas achevé son travail à temps. Il avait servi le ragoût avec plus d'une demi-heure de retard, ce que Florence aurait probablement encore pu tolérer si, pour couronner le tout, le poulet n'avait pas été à moitié cru et donc immangeable. Dans son infatigable combat contre les dangereux agents pathogènes, Florence se montrait plus que pointilleuse sur l'hygiène. Elle ne pouvait pas laisser passer une telle erreur, sans compter que les invités méritaient ce qu'il y avait de meilleur. Un plat raté était une offense.

Pendant le repas, en présence de son amie et des enfants, Florence avait réprimé son mécontentement. Elle s'était contentée de sortir la viande de la marmite et de la mettre de côté sur sa propre assiette, sans un mot. Mais plus tard, elle avait suivi Zingiro en cuisine, son attitude et son pas annonçant clairement la colère violente qui allait s'abattre sur l'employé négligent, une fois la porte refermée.

Jeanne, qui avait elle-même déjà expérimenté la sévérité impitoyable de sa mère face à une erreur inexcusable, essaya de s'imaginer la scène qui s'était déroulée dans la cuisine. Zingiro ne s'en était certainement pas tiré avec un simple avertissement, cette fois.

« Bien fait ! » pensa-t-elle, satisfaite.

Ayant à peine touché au ragoût, elle avait encore faim. Elle tendit le bras pour arracher une *ipera** au-dessus de sa tête. De la poussière tomba de la branche et quelque chose lui vola dans l'œil. Machinalement, elle frotta du poing contre sa paupière, mais au lieu de faire ressortir le corps étranger, elle le fit rentrer encore plus profondément. La douleur, aiguë, devint si insupportable qu'elle dut fermer les yeux et ne remarqua sa mère et Bernadette qu'en entendant soudain leurs voix monter vers elle.

Elle en eut le souffle coupé et le fruit faillit lui échapper des mains. Elle n'osait plus bouger. À travers un voile de larmes, elle vit avec anxiété les deux amies, absorbées par leur conversation, s'approcher des carrés de légumes et s'y arrêter. Elle fixa le sol et pria pour que sa mère ne dirige pas le regard dans sa direction. Mais les deux femmes s'étaient tournées vers le potager.

— ... oui, ça m'étonnait, aussi. Aliette n'avait encore

jamais manqué aussi longtemps. Et aujourd'hui, en ne la voyant pas à la réunion, j'ai redouté quelque chose du genre... Au Burundi, tu crois ? disait sa mère.

Elle parlait d'une voix étouffée, mais si tendue que Jeanne pouvait comprendre chaque mot.

Les deux amies se tenaient tout près l'une de l'autre. De dos, à côté de la silhouette généreuse de Bernadette, Florence semblait encore plus grêle que de coutume. Le mince tissu de la robe de Bernadette était tendu sur ses hanches larges ; la jupe avait un peu remonté et, avec elle, une fleur d'un rouge cru qui s'étalait désormais au beau milieu de son postérieur plantureux. Bernadette était l'une des personnes dont Jeanne et Jando, irrespectueusement, avaient imaginé que les fesses feraient une lampe incomparable.

— Je ne le crois pas, je le sais, répondait Bernadette. Aliette m'a écrit. J'ai reçu sa lettre hier. La domestique me l'a apportée avant de retourner dans son village.

— Tu penses vraiment qu'ils devaient fuir tous les deux ?

Jeanne fut surprise par les inflexions curieusement hésitantes de Florence.

— Oui, ils étaient en danger ! affirma Bernadette. Ça ne fait aucun doute.

— Que s'est-il passé exactement ?

— Depuis longtemps, Théodore est soupçonné d'être en relation avec les rebelles*.

— Mais pourquoi ? Qu'a-t-il fait ? Pour autant que je sache, il n'a jamais rien eu à voir avec la politique !

— Il a de la famille au Burundi. Et ça suffit pour le mettre sur la liste des suspects.

Florence se taisait. Secouant la tête, elle se pencha au-dessus d'un pied de tomates et examina les fruits, qui rougissaient. Ils seraient bientôt mûrs.

En quelques mots, Bernadette rapporta ce qu'Aliette lui avait écrit.

La milice* avait fait irruption pour la première fois chez Théodore un mois plus tôt. Les hommes avaient mis la maison sens dessus dessous, sans trouver ce qu'ils cherchaient. Pourtant, ils n'avaient cessé de réapparaître depuis, faisant pression sur Aliette et brimant jusqu'aux enfants. Théodore avait fini par s'interposer et tenté de les empêcher de tout fouiller une nouvelle fois. Mais ils l'avaient frappé à coups de matraque et si grièvement blessé qu'il ne pouvait plus travailler.

— Crois-moi, une fois qu'ils ont quelqu'un sur leur liste, ils ne le laissent plus en paix. Même s'il n'a rien fait ! conclut Bernadette.

— C'est terrible ! s'exclama Florence. Je suis vraiment peinée pour Aliette et les enfants. Si nous devions recommencer à zéro ailleurs... Non ! Tout ça est derrière nous, maintenant... Peux-tu imaginer que Théodore soit réellement... enfin, qu'avec les rebelles... Tu vois ce que je veux dire ?

Jeanne sentait son cœur battre la chamade. Impossible de rester tranquille plus longtemps. Prudemment, elle plia les jambes. Il fallait absolument qu'elle change de position. De peur d'être surprise en train d'espionner, elle s'était tellement crispée qu'une de ses jambes s'était engourdie. Des milliers d'aiguilles piquaient son dos, tandis que la douleur dans son œil, baigné de larmes, se calmait progressivement.

Bien que Jeanne n'ait pas compris ce dont il s'agissait, sa crainte d'être aperçue avait cédé la place à un autre sentiment. Elle avait l'estomac noué et une étrange sensation de froid l'envahissait.

Elle se demandait ce que signifiait la discussion qu'elle venait d'entendre.

Elle connaissait Théodore. Seulement superficiellement. Il était médecin à l'hôpital de Kibungo et l'avait examinée quelques fois. Il s'était toujours montré gentil avec elle, et elle ne pouvait pas croire qu'il était du côté des rebelles.

Elle ne savait pas exactement qui étaient les rebelles, ni ce qu'ils représentaient. Seulement qu'ils faisaient du mal, et qu'il y avait une guerre contre eux. On en parlait chaque jour à la radio : « ... Les rebelles ont pris Umutara... Les rebelles sont au bord de l'Akagera... Les rebelles ont été vaincus... Nous devons combattre les rebelles par tous les moyens... ». De temps à autre, Jeanne saisissait des bribes d'informations, sans toutefois y réfléchir. Cela ne l'intéressait pas vraiment. La guerre se déroulait quelque part, très loin d'eux.

Et voilà que l'idée d'un malheur imminent, suscitée par le tremblement dans la voix habituellement si ferme de sa mère, se glissait dans l'arbre et se ramassait près d'elle, comme un félin prêt à bondir.

— Comment savoir ? Mais, pour être honnête... Oui, je crois possible qu'il soit avec eux, disait justement Bernadette, répondant à la question de Florence sur les liens de Théodore avec les rebelles.

— On prétend que le président est disposé à traiter avec eux, fit remarquer Florence. Pour cesser les combats. Dès lors, les choses ne peuvent aller qu'en s'améliorant...

— Non ! J'ai bien peur qu'elles ne s'aggravent ! Théodore n'est pas un cas isolé. Partout, ils se remettent à persécuter les Tutsis. Tu n'as qu'à écouter la radio pour comprendre à quel point les haines sont attisées. Par moments, ça me fait vraiment peur. D'ailleurs, beaucoup d'entre nous ont déjà quitté le pays.

— C'est absurde ! lui opposa énergiquement Florence. Tout le monde nous connaît, ici. Nous sommes considérés. Beaucoup de Hutus sont nos amis, après tout. Que peut-il nous arriver si nous faisons notre travail de manière pacifique, sans nous occuper de politique ?

La porte de la cuisine s'ouvrit. Zingiro sortit la tête et les deux amies se turent. Aussitôt, le domestique disparut.

— Je ne sais vraiment pas quoi faire de lui, se plaignit Florence. C'est un bon à rien. Tu ne connaîtrais pas un brave garçon qui chercherait du travail en ce moment ?

Bernadette répondit par la négative. Là-dessus, elle s'étendit avec véhémence sur son propre personnel, tout aussi inutile. Le chapitre politique était clos.

Après un petit tour dans le jardin potager, les deux femmes s'éloignèrent.

Juste avant la crise d'éternuements qui aurait inévitablement trahi la présence de Jeanne.

Après que Bernadette se fut mise sur le chemin du retour, Florence s'installa dans le jardin avec un tas de copies à corriger. Elle ne devait pas retourner à l'école ce jour-là, et sa présence à la maison était l'assurance d'une après-midi paisible.

Encore impressionnée par ce qu'elle avait appris, cachée dans l'arbre, Jeanne demeura anormalement calme pendant un temps. L'animal de mauvais augure l'avait suivie et rôdait autour d'elle. Elle aurait aimé en parler à Jando, mais l'occasion ne se présenta pas, Teya étant toujours à portée de voix.

Remarquant son mutisme, Jando essaya vainement d'égayer Jeanne en faisant allusion à leurs projets nocturnes.

— Ah, ce soir, je vais aller me coucher tôt ! annonça-t-il en insistant tout spécialement sur le « tôt ».

Ou :

— Il vaut mieux que je laisse mes chaussures, comme ça tu ne pourras pas me les chiper.

Elle ne réagissait pas.

Et elle était toujours oppressée lorsque, comme chaque soir vers six heures, Teya et elle rejoignirent leur mère dans la cour.

Florence était assise sur le muret entourant la terrasse. Comme d'habitude, elle tressait ses cheveux pour la nuit.

Des livres empilés près d'elle, elle attendait ses filles pour leur faire cours, lunettes perchées sur le bout du nez. Et c'est devant ce spectacle familier que les craintes de Jeanne s'évanouirent enfin. Libérée, elle prit une profonde inspiration.

Tout était normal.

Florence enroula l'extrémité d'une petite natte autour de son doigt, la tendit et l'enroula pour former un petit macaron qu'elle fixa au cuir chevelu, à côté d'autres. Plus tard, son crâne donnerait l'impression d'être hérissé d'une multitude de boutons.

Elle laissa ses deux filles prendre place à sa gauche et à sa droite.

— Nous allons commencer par le français, aujourd'hui, annonça-t-elle. Dédé, as-tu retenu le nom des parties du corps ?

Jeanne poussa un gros soupir. Elle se rappelait tout, naturellement. Elle connaissait précisément les termes, mais elle était incapable de les prononcer. Même dans sa propre langue, il y avait des mots auxquels sa bouche refusait de se soumettre. Elle voyait les syllabes devant elle, les façonnait dans sa tête, mais lorsqu'elles quittaient ses lèvres, il en sortait autre chose.

Quand il s'agissait de parler français, elle était surtout fâchée avec le *r*. Chaque fois ou presque qu'elle le disait vite, elle en faisait un *l*.

La poitline, l'oleille. Jamais elle n'arriverait à prononcer correctement cette consonne. Et plus elle s'appliquait, pire c'était.

— Maman, implora-t-elle en jetant un regard en coin à Teya, qui brûlait déjà de lui en remontrer, on ne pourrait pas commencer par le calcul ?

En calcul, elle battait Teya à chaque fois. Réciter la table de multiplication en long, en large et en travers, était pour elle un jeu d'enfant.

— On comptera plus tard, décréta calmement Florence. Allez, essaie, Dédé.

Jeanne obéit à contrecœur. Elle débuta par le plus facile :

— *Le nez, la bouche.*

D'aussi loin qu'elle se souvienne, ces leçons en plein air, précédant le dîner, avaient toujours eu lieu.

Florence était ambitieuse. Très en avance sur le programme scolaire de ses enfants, elle exigeait qu'ils donnent le meilleur d'eux-mêmes.

— Si vous voulez devenir quelqu'un, vous devez être plus que bons à l'école, disait-elle.

Et elle offrait à chacune de ses filles l'occasion de faire ses preuves. La plupart du temps, les choses se déroulaient de manière très équitable. Jeanne héritait d'exercices de mathématiques grâce auxquels elle pouvait se distinguer, tandis que Teya pouvait briller avec son français irréprochable.

— *Il y a une maison sur la colline*, déchiffrait justement la petite d'une voix limpide.

Le livre d'images français était ouvert sur les genoux de sa mère, et la maison illustrant cette phrase était représentée en grand sur une page. Une jolie maison, semblable à la leur.

— Bien ! la félicita Florence. À ton tour, Dédé.

Butant quelques fois sur *il y a* et sur *la*, Jeanne extirpa les mots de sa bouche.

— Tu vois que tu y arrives ! dit Florence.

Après le calcul, arrivait la partie du cours plaisant le plus à Jeanne : pour finir, sa mère leur lisait quelque chose. Des poèmes, des histoires et des chansons, tirés d'un gros livre de lecture qu'elles commençaient par feuilleter ensemble, pour regarder les images et choisir un texte. Florence parcourait plusieurs fois poésies et chansons. De cette façon, Jeanne les apprenait rapidement par cœur. Ensuite, elle faisait mine de savoir déjà lire toute seule.

Florence ouvrit le recueil.

Teya grimpa sur ses genoux, et Jeanne appuya la tête contre l'épaule de sa mère.

Bien que le soleil ait déjà disparu, les pierres retenaient sa chaleur. Chaque page tournée soulevait un souffle d'air tiède.

— Ça !

Teya tendit l'index et abaissa une page sur laquelle on pouvait voir une femme aux cheveux artistiquement relevés. Elle tenait un bébé dans ses bras.

Jeanne tenta de continuer à feuilleter le livre. Les bébés ne l'intéressaient pas. Elle préférait entendre, pour la énième fois, l'histoire du lièvre rusé qui échappait à la famine grâce à de l'hydromel. Mais Teya gardait le doigt collé sur la page.

— C'est ça que je veux écouter ! répéta-t-elle.

— Très bien, approuva Florence. C'est un poème pour la journée de la femme. Je le trouve très beau.

D'une voix douce, elle se mit à lire :

« Urimwiza Mama
koko urimwiza
s'ukubeshya,
singutaka
bimwe bisanzwe.
Abantu benshi
Bakabya cyane.
Amezi cyenda
Munda yawe,
untwite ugenda
wigengesereye... »

« Tu es belle, maman,
tu es vraiment belle,
je ne mens pas,
je n'exagère pas
comme les autres gens.
Pendant neuf mois,
tu m'as porté dans ton ventre.
Tu marchais lentement,
pour que rien ne m'arrive.

Après ma naissance,
avant que je ne puisse voir,
tu m'as tenu chaud.
Le froid ne m'atteignait pas.
Ton lait m'a nourri.
Quand je versais des larmes,
par égard pour moi,
tu abandonnais ton travail
et tu disais : Pleure, mon enfant.
Maman adorée,
je vais te décrire
telle que tu le mérites réellement. »

— Encore une fois, réclama Jeanne, juste après que Florence eut achevé sa lecture.

— Voulez-vous l'apprendre ? proposa leur mère.

Les petites filles hochèrent la tête ; exceptionnellement, elles étaient d'accord.

Et Florence reprit :

« *Urimwiza Mama*
koko urimwiza... »

De temps en temps, elle marquait une plus longue pause pour que ses filles puissent répéter les mots plusieurs fois.

— Est-ce que c'est vrai ? demanda Teya. Moi aussi, je suis restée neuf mois dans ton ventre ?

— Neuf mois et trois jours.

— Et moi ? s'enquit Jeanne.

— Un peu moins de neuf mois.

— Je suis restée plus longtemps !

— Et moi j'étais là avant toi !

Florence rit :

— Vous trouvez toujours le moyen de vous disputer !

— Mais comment est-ce que j'ai pu tenir dans ton ventre ? s'interrogea Teya, jaugeant d'un œil critique la taille étroite de Florence.

— Au début, tu étais plus petite qu'un ongle. Tu as grandi lentement, et mon ventre a grandi avec toi.

— Et comment suis-je entrée et sortie de là ?

— C'est Dieu qui t'a faite, expliqua Florence.

Elle ferma le livre et se leva, signe infaillible qu'elle ne voulait plus qu'on lui pose de questions.

Jando, qui faisait déjà ses devoirs seul et n'était contrôlé que de temps à autre par son père, apparut dans la cour.

— J'ai faim ! cria-t-il.

— Dans ce cas, dis à Zingiro que vous voulez manger dans une demi-heure, lui indiqua Florence. Je vais attendre le retour de votre père. Et vous deux, allez voir Julienne pour qu'elle vous lave, ajouta-t-elle à l'adresse de ses deux filles.

Ce soir-là, lorsque sa mère vint comme d'habitude lui souhaiter bonne nuit, Jeanne, couchée dans son lit et vêtue d'une chemise de nuit pour donner le change, garda les yeux fermés.

— Je suis terriblement fatiguée, murmura-t-elle lorsque Florence entra dans sa chambre.

Elle voulait éviter que sa mère ne reste près d'elle plus que nécessaire, voire n'assiste à la prière.

Florence s'approcha néanmoins, se pencha et lui donna un baiser :

— Dors bien.

Peu après qu'elle eut quitté sa chambre, Jeanne bondit hors de ses draps, sortit de sous son lit un pantalon, un pull et ses chaussures, et se rhabilla.

Elle remonta dans son lit, tira la couverture jusqu'à son cou et posa les pieds sur le cadre, pour que ses chaussures ne salissent pas les draps. Puis elle attendit la venue de son frère.

Le temps s'écoula, sans que rien ne se passe.

Elle dit le Notre Père. Puis, silencieusement, elle se mit à passer en revue ses péchés de la journée.

Elle avait caché la chaussure de Jando, couru trop vite, poussé Teya...

La liste n'en finissait plus. Mais avant qu'elle n'arrive à la plus grosse de ses fautes, encore au stade de projet, et ne puisse la confesser par anticipation, elle sombra dans un profond sommeil. Et, libérée de ce dernier péché, elle dormit d'une traite jusqu'au lendemain matin.

Tu as passé le seuil de notre porte

Une après-midi, au début du mois d'avril.

Le premier instant est déterminant. Car, quand on dit « oui », on fait une promesse.

Dans la longue période qui suit, quand viennent les doutes et que l'on se demande si la première impression n'était pas trompeuse, il devient parfois difficile de tenir sa promesse.

Ce premier instant, unique, ne dure que quelques secondes. Aussitôt après, débute le temps où l'on apprend à se connaître. Temps qui ne touche jamais à sa fin, parce que l'on n'atteint jamais son but.

Pour chacun de nos onze enfants, il en fut ainsi. Il y eut ce premier instant. Ce point de non-retour.

Le premier instant avec toi ? Oui, je m'en souviens encore parfaitement.

Tu t'es avancée, petite et calme. Tu m'as semblé presque immatérielle. Tu étais accompagnée de ta tante. Et quelle tante !

Impeccable et élégante. Les traits réguliers, ciselés. Je ne peux pas croire qu'un tel visage ait jamais une ride.

Si je ne t'avais pas attendue, je ne t'aurais probablement pas remarquée à côté d'elle. En vous croisant dehors, sans y avoir été préparée, j'aurais vu une grande et jolie femme avec un enfant. Mais dans notre vestibule étroit, j'ai vu un enfant sérieux avec une grande et jolie femme.

Tu venais d'avoir dix ans. Les cheveux coupés à ras comme un garçon. Oui, on pouvait te prendre pour un garçon.

Ou plutôt non. Au second regard, ce n'était plus possible : tes hanches larges et tes fesses rondes le démentaient.

Ton sourire aussi. Tout à fait inattendu, il éclaira fugitivement ton visage.

Un merveilleux sourire de petite fille... qui éclipsa ta tante, à côté de toi.

Devançant les enfants, Ananie grimpait en bondissant l'étroit chemin argileux menant à la vallée suivante. Les légères sinuosités épousaient le sommet de la colline, dominant les champs en terrasses. Au détour du sentier, un incroyable panorama s'offrait au regard : une rangée de chaînes de collines regroupées autour d'une profonde dépression. Par beau temps, comme ce jour-là, on voyait nettement dépasser la pointe des grands volcans, dont le cratère était souvent dissimulé par une couche de nuages ou un voile de brume.

Les enfants se bousculèrent aux côtés de leur père pour le dépasser, se mirent à courir et disparurent juste après le tournant.

Presque immédiatement, ils atteignirent la vallée, et Jeanne se mit aussitôt à la recherche d'une cachette.

Il avait plu le matin même. À présent, doucement mais fermement, le vent poussait des lambeaux de nuages bas, tapis volants auréolés de lumière, en direction des collines opposées. Derrière les nuages, le ciel était exceptionnellement clair ; son éclat accentuait les contours, à tel point que le paysage donnait l'impression d'être dessiné.

Soustraite aux regards de son père, Jeanne se glissa rapidement derrière un bananier. Elle colla les bras de chaque côté de son corps et serra les cuisses l'une contre l'autre, comme si elle pouvait se rendre presque invisible en réduisant sa circonférence à celle d'un bâton. Immobile, elle attendit qu'Ananie apparaisse.

Ses doigts enserrèrent et tendirent le fin tissu parme de sa robe volantée, afin qu'aucun pli ne dépasse et ne révèle sa cachette. À quelques mètres d'elle seulement, les fronces jaunes de la robe du dimanche de Teya voletaient entre les branches d'un cyprès. Jando avait bondi au sommet de la côte et, plus haut, un mur épais de feuilles de bananier l'avait englouti. Jeanne aurait aimé siffler un avertissement à Teya, mais il était déjà trop tard, car Ananie n'allait pas tarder à se montrer au détour du chemin.

Il s'immobiliserait sans doute brusquement, et se protégerait de la lumière crue du soleil en plaçant les mains en visière au-dessus de ses lunettes cerclées d'or. Tournant le regard dans toutes les directions, il chercherait les enfants puis se remettrait en route au bout d'un moment, secouant la tête, comme s'il lui fallait, de gré ou de force, accepter l'idée qu'ils s'étaient volatilisés.

Comme souvent le dimanche, juste après la messe du matin, Ananie était parti en promenade de l'autre côté de la colline avec Jeanne, Teya et Jando. Ce jour-là, Florence était restée à la maison car elle voulait s'occuper personnellement de la préparation du repas. Il y avait au menu de la viande en abondance et différentes sauces délicieuses, car elle attendait des invités. Bernadette et toute sa famille avaient annoncé leur venue.

Retenant son souffle et consciente de ce que les deux autres, en ce moment précis, faisaient exactement la même chose, Jeanne attendait que son père apparaisse. La simultanéité de leurs actes et de leurs sensations faisait d'eux, pour un temps, un groupe de conspirateurs au sein duquel elle se sentait heureuse.

Enfin, Ananie tourna au coin du sentier en sifflotant.

Il avait retroussé ses manches et ouvert le col de sa chemise blanche. Comme ils s'y attendaient, il s'immobilisa, interdit, leva les bras, se couvrit les yeux et les chercha de tous côtés. Secouant la tête, il se remit en route, et Jeanne, qui était la plus proche du chemin, entendit ses pas tandis qu'il passait près d'elle. Elle le laissa s'éloigner suffisamment, puis sortit sans bruit de sa cachette et fit signe aux deux autres.

C'était le signal.

Un cri perçant sortant à l'unisson de leurs trois gosiers, ils se précipitèrent à la suite de leur père et le virent sursauter, mettre les mains sur les oreilles et se retourner brusquement. Ses verres de lunettes posaient des lucarnes rondes devant ses yeux écarquillés par la peur.

— On t'a eu ! On t'a eu ! piaillait Teya, tout en sautillant autour de ses jambes comme un lapin débusqué.

Un grand rire envahissant son visage, Ananie finit par l'attraper et la soulever, puis il se remit en marche d'un air décidé, son paquet de volants jaunes coincé sous le bras. Ce n'est que lorsqu'elle se mit à crier et à agiter violemment les jambes qu'il la reposa par terre, riant toujours.

Cela n'avait plus aucun sens de reprendre la partie de cache-cache, car on pouvait désormais embrasser la vallée du regard ; il était impossible de s'éclipser.

Ananie avançait à longues enjambées. Teya, serrant l'index paternel de son petit poing, trottinait pleine de zèle à ses côtés, et Jeanne et Jando, derrière son dos, tentaient de suivre les grandes traces de pas qu'il laissait dans le sol détrempé. Jeanne sautait d'une empreinte à l'autre.

Leur père fit soudain halte et indiqua du doigt la ligne déchiquetée des sommets volcaniques. Ils se dressaient derrière les collines, telles des dents dans la gueule d'un énorme dragon.

Voici bien longtemps, il y avait certainement eu là un monstre crachant le feu.

— *Bon, mes enfants*, dit Ananie, on peut tous les voir distinctement, aujourd'hui.

Il avait l'habitude de glisser dans ses phrases des expressions et des mots français[1].

— *Voilà le Karisimbi, voilà le Muhabura et enfin le Sabyinyo** !

Sabyinyo signifiait « grande dent saillante ». Le volcan portant ce nom se détachait de la rangée et dominait tous les autres.

Jeanne promena son regard sur la vallée en plissant les yeux, qui se réduisirent à de simples fentes. Le jeu changeant des couleurs s'estompa, et le paysage qui s'étendait devant elle prit des allures de tableau impressionniste : vert noirci de la forêt de cyprès, vert électrique des bananiers, satin argenté des bois d'eucalyptus, ocre des carrières d'argile et taches noir charbon, partout où se dressaient des arbustes calcinés. Des toits de maison parsemaient le paysage par petites touches. Toits de tuiles rouges, toits de tôle ondulée argent ou peinte de couleurs vives.

---

1. Ananie n'est pas le seul, d'ailleurs. Les langues parlées au Rwanda sont : le kinyarwanda (*langue nationale et officielle*), l'anglais et le français (*officielles*), et le swahili. Les termes « en français dans le texte » sont signalés par l'italique. *(N.d.T.)*

— Il pleut, là-bas, fit remarquer Teya.

Jeanne rouvrit les yeux.

De l'autre côté de la vallée, un nuage de pluie était suspendu devant les collines, grand bac sombre déversant son contenu sur la terre, alors qu'au-delà des limites nuageuses, tout restait sec.

Cette particularité de ne donner que des averses localisées incitait souvent les enfants au jeu. Lorsque le vent chassait vers eux un de ces nuages, ils galopaient devant lui, se retournant sans arrêt pour s'assurer qu'il ne les rattrapait pas. Ils couraient juste assez vite pour atteindre, encore secs, la maison ou un abri. Quelques mètres derrière eux seulement, les premières gouttes s'écrasaient déjà au sol, éclatant comme de grosses bulles.

Ils appelaient ça « jouer à chat perché avec la pluie ».

— Comment l'eau arrive-t-elle dans les nuages ? demanda Teya.

— *Alors*, l'air se compose en partie d'eau, expliqua Ananie.

Teya ouvrit de grands yeux.

— *Mais oui*, poursuivit son père, il y a de fines gouttelettes d'eau dans l'air.

Qu'on l'interroge ou non, il ne demandait qu'à s'étendre sur les manifestations célestes, quelles qu'elles soient.

— La chaleur les fait s'élever et elles se rassemblent pour former une masse compacte ; c'est la vapeur d'eau, ça, tu le sais. *Donc*, lorsque le temps se rafraîchit, la vapeur se transforme en eau. Mais l'eau est trop lourde pour rester en l'air, et elle retombe sur terre sous la forme de pluie. C'est aussi simple que cela. *D'ailleurs*, les jours où il fait particulièrement chaud, une telle énergie s'accumule dans le ciel que des orages violents éclatent.

Les enfants hochèrent la tête. Ils avaient déjà vécu de nombreux soirs d'orage. Après certaines journées caniculaires, il leur tardait vraiment que l'averse tombe.

À la campagne, chez Nyogokuru, faisant fi des mises en garde contre les dangers de la foudre et du tonnerre, ils s'étaient souvent glissés dehors par la porte de derrière pour danser sous la pluie, sauter dans les flaques et ramasser les grains de glace qui s'abattaient sur le sol, entre les gouttes de pluie.

Mais il fallait éviter d'être pris sur le fait par le vieux Muzehe, qui considérait tout cela comme l'œuvre d'esprits malveillants et cherchait à chasser à jamais la grêle en jetant des petits pois entre les grêlons, pour conjurer le mauvais sort.

— *Alors*, il va être temps de rentrer, annonça Ananie en jetant un coup d'œil à sa montre. *Allons enfants !*

À peine avait-il prononcé ces mots que les enfants se mirent à courir pour arriver avant lui au grand tournant, derrière lequel ils répéteraient leur jeu de cache-cache avant de prendre définitivement le chemin de la maison.

Quelque chose devait être accroché à ses cils ; elle parvenait à peine à ouvrir les paupières.

Les cris de Jando et le rire de Teya venaient d'arracher Jeanne à un sommeil anormalement profond et sans rêves.

Elle éprouvait une douleur lancinante à la nuque et, dans son crâne, quelque chose pressait avec force contre son front. Sa tête retomba sur l'oreiller et ses yeux se refermèrent.

Son horloge interne lui disait que la matinée était déjà bien avancée, mais peu importait, car ils étaient en vacances et pouvaient dormir aussi longtemps qu'ils le souhaitaient.

D'aussi loin qu'elle se souvienne, c'étaient les premières vacances d'été qu'ils passaient chez eux.

Jeanne avait la nostalgie de la vie libre qu'ils menaient dans la ferme de leur grand-mère, et des jeux avec les autres enfants de la famille qu'ils y retrouvaient. Mais surtout, Nyogokuru et ses histoires lui manquaient.

Elle s'ennuyait à la maison. Tous les jours se ressemblaient.

Elle se tourna et se retourna, agitée, mais elle se sentait étrangement à bout de forces, trop faible pour se lever. Oscillant entre veille et sommeil, elle finit par s'assoupir. Jusqu'à ce que les cris enthousiastes de Teya, dehors, lui crèvent le tympan et la fassent émerger une bonne fois pour toutes.

Elle roula jusqu'au bord du lit et se redressa. En posant les pieds par terre, elle sentit le sol tanguer. Elle se mit debout, vacillante. Elle commençait à se dire que quelque chose n'allait pas.

Bien résolue à ne pas être malade, Jeanne traversa lentement et lourdement le couloir. Son crâne bourdonnait et, plus longtemps elle restait debout, pire c'était. Elle tremblait. Il lui fallait absolument un thé chaud.

La porte de la salle à manger était ouverte. Heureusement, Florence n'était pas là, semblait-il. Elle s'activait probablement déjà en cuisine.

Dans le coin le plus frais de la pièce se trouvait une étagère où l'on pouvait se servir à toute heure, dès que la faim ou la soif se faisaient ressentir. On y trouvait toujours une bouteille Thermos remplie d'une bouillie chaude, et une autre dans laquelle était conservé du thé noir. Le liquide corsé était prêt à être bu : on y avait ajouté gingembre râpé et lait en poudre. Quand les Thermos étaient vides, on les faisait remplir en cuisine. Il y avait aussi du babeurre dans un pot en fer-blanc hermétique, et du jus de fruits dans des bouteilles. Dans une petite armoire à côté de l'étagère attendaient pain blanc, beurre, miel et différentes pâtisseries.

Habituellement, Jeanne prenait un peu de bouillie de millet ou de thé pour le petit déjeuner. Ce jour-là, elle voulait du thé.

Après avoir sorti Thermos, gobelet, cuillère et sucrier, et déposé le tout sur la table, elle se laissa tomber sur une chaise, épuisée. Elle fixa un moment, hébétée, les tableaux accrochés au mur en face d'elle : une mère et son enfant, un grand oiseau sur une branche, un paysage de collines – tous étaient composés à partir de raphia, de feuilles et d'écorce de bananier.

— Gagné !

Le cri de triomphe assourdissant de Teya lui perça une nouvelle fois les oreilles.

Jeanne se versa du thé, remplissant son gobelet à ras bord. Elle aspira bruyamment les premières gorgées, sentit la boisson douce-amère répandre sa chaleur vivifiante de sa gorge jusque dans son estomac, et vida le gobelet d'un trait, sans en laisser une goutte. Ensuite, elle se sentit vraiment mieux. Assez forte, en tout cas, pour aller prendre l'air dans le jardin.

En sortant, elle découvrit son père lisant à l'ombre des arbres fruitiers. Il ne leva pas les yeux.

Jeanne s'approcha lentement de Teya et de Jando, qui jouaient aux billes sur un des chemins de traverse poussiéreux. Teya, à genoux devant le trou creusé dans la terre, lui tournait le dos. Du pouce, elle donnait une chiquenaude aux grosses boules en verre irisé, qu'elle envoyait d'un geste sûr dans la cible, l'une après l'autre.

— Encore gagné ! jubila-t-elle.

Elle récupéra les calots, les fit disparaître en cliquetant dans son sac de billes et bondit sur ses jambes. Ce n'est qu'alors qu'elle remarqua Jeanne, qui s'était avancée derrière elle.

Le rire de Teya s'éteignit. Les yeux réduits à de simples fentes, elle mit les poings sur les hanches.

— *Udahari igiti nticyimugwira* ! dit-elle sévèrement en transperçant l'air de son index. Si tu n'es pas là et qu'un arbre tombe, il ne tombera pas sur toi.

Nyogokuru employait ce dicton chaque fois que quelqu'un se présentait à table en retard et qu'il ne restait plus rien pour lui.

— Tu m'embêtes, laisse-moi tranquille ! fit Jeanne d'un ton méprisant.

Et, avant que sa sœur ne puisse répliquer, elle tourna les talons et traversa le chemin en direction de la prairie. Elle se retira sous le grand arbre dont les branches tombantes s'étendaient loin au-dessus de la pelouse et d'une partie de la haie de cyprès. Sous son feuillage fourni, il faisait toujours sombre et frais comme dans une grotte.

— Attends, Dédé ! cria Jando. Tu peux quand même jouer avec nous !

— Pas envie, répondit-elle.

Elle se glissa sous l'arbre, chercha un coin d'herbe moelleux, s'étendit de tout son long et croisa les bras sous la nuque. La figure tournée vers le haut, elle observa du coin de l'œil Jando et Teya qui, entre-temps, avaient fini leur partie et s'étaient assis sur le bord du chemin pour compter leurs billes.

Sans les cris de Teya, le jardin semblait presque silencieux, tout à coup. On n'entendait plus que les bruits étouffés venant de la cuisine, auxquels s'ajoutaient les voix de quelques oiseaux et le bourdonnement des insectes volant çà et là sous le soleil, entre les brins d'herbe et les fleurs des champs. Le doux roulis des sons naissant et mourant berçait Jeanne.

Peu avant que ses yeux ne se ferment, elle regarda avec envie un fruit de la passion qui s'était accroché à la haie de cyprès. Il était trop haut pour qu'elle puisse l'atteindre en restant couchée.

Jeanne passa le bout de sa langue sur ses lèvres brûlantes et laissa sa tête rouler sur le côté. Quelques minutes plus tard à peine, elle s'était endormie.

Bien qu'il y eût au menu une poêlée de riz et de légumes, le plat préféré de Jeanne, son assiette était toujours intacte, alors que tout le monde avait fini de manger depuis longtemps. Personne n'y avait prêté attention, Jeanne étant généralement la dernière à finir. Lorsqu'elle commençait à manger, les autres avaient souvent quitté la table depuis belle lurette. Habituellement, lors des repas, sa bouche s'agitait infatigablement au lieu de mâcher. Ce jour-là, elle était restée parfaitement tranquille.

Aucune plainte au sujet des enfants des voisins qu'elle n'appréciait pas, aucune remarque désobligeante sur Zingiro. Elle n'avait ni mâché, ni bavardé, et à l'exception de Jando, qui lui avait lancé un coup d'œil scrutateur, personne ne semblait l'avoir remarqué. Florence et Ananie avaient discuté avec animation de ce qu'il fallait faire du lavoir ; les moustiques avaient tellement proliféré qu'il était devenu presque impossible de lutter contre eux. Florence, préoccupée par ce fléau, avait proposé de faire enfin paver la surface boueuse, et Ananie avait promis de s'en occuper avant la fin des vacances, même s'il ne serait pas facile de trouver quelqu'un pour réaliser ce travail dans l'immédiat.

Tandis que Jeanne poussait les grains de riz d'un bord à l'autre de son assiette, du bout de sa cuillère, l'échange bourdonnant de ses parents avait cerné sa tête tombante comme la nuée de moustiques dont il était question. Jeanne avait toutes les peines du monde à rester assise bien droite, car le vrombissement douloureux derrière son front était devenu presque insupportable. Mais, courageusement, elle résista à l'envie de poser le crâne contre la table.

Lorsque Zingiro apparut pour débarrasser, Ananie, Teya et Jando se levèrent.

Florence, elle, resta assise en face de Jeanne et la regarda pour la première fois.

— Allez, mange, maintenant, Dédé ! ordonna-t-elle avec un peu d'impatience.

Jeanne fit glisser quelques grains de riz sur sa cuillère et les mit dans sa bouche. Elle tenta à plusieurs reprises de déglutir, en vain. Un nœud lui serrait la gorge.

Florence l'observa attentivement :

— Dédé, qu'as-tu ? Pourquoi ne manges-tu rien ? Tu as mal quelque part ?

— Non, bafouilla Jeanne en regardant son assiette. J'ai pas faim, c'est tout.

Sa mère se pencha au-dessus de la table, saisit Jeanne par le menton et la força à relever la tête :

— *Mon Dieu !* Tu as de la fièvre !

Elle se précipita à côté de Jeanne et lui mit le dos de la main sur le front, puis contre le cou. Elle plaqua la main contre le sien pour comparer, et de nouveau sur le front de Jeanne.

— Tu as même une température très élevée. *Mon Dieu*, pourquoi n'as-tu rien dit ? Ouvre grand la bouche !

Elle prit la cuillère à soupe, abaissa la langue de Jeanne avec le manche et regarda sa gorge avec effroi, comme si elle fixait la porte de l'enfer.

— C'est pas si grave, croassa Jeanne après que sa mère eut enfin retiré la cuillère.

Mais un vacillement et le tremblement irrépressible qui s'empara brusquement d'elle punirent son mensonge. On aurait dit qu'au contact de la main fraîche de Florence sur sa peau chaude, Jeanne avait reçu un coup et perdu le semblant de contrôle qu'elle avait encore sur son corps. Comme un tas de bûches calcinées qui s'effondraient.

— Bien sûr que c'est grave ! Tu es brûlante de fièvre. Je t'emmène à l'hôpital, le plus vite possible.

Jeanne tenta de s'opposer :

— Maman...

Sans répondre, Florence la souleva et la porta dans sa chambre. Elle la coucha sur son lit et enveloppa le petit corps tremblant dans la couverture. Agitée et essoufflée, elle appela Zingiro et Ananie par la fenêtre, puis quitta la pièce. Peu après, elle revint avec un sachet de poudre dont elle dilua le contenu dans un verre d'eau, qui devint trouble comme du lait.

Jeanne, bien trop faible maintenant pour lutter, vit tout cela au travers d'un voile. Sa résistance avait été broyée par le tremblement incessant de son corps. Tout en sachant très bien que le produit contre la fièvre aurait mauvais goût, elle souleva la tête avec obéissance, soutenue par Florence, avala la boisson amère et se laissa retomber sur l'oreiller. Florence lui caressa la joue et ressortit.

Ensuite, Jeanne resta couchée, yeux fermés, à suivre les bruits de la maison ; bizarrement distants, ils lui semblaient soudain étrangers et incohérents. Au bout d'un moment, le médicament lui apporta un soulagement salutaire. Les élancements dans son crâne se dissipèrent, le tremblement de ses membres s'apaisa aussi peu à peu ; tout s'éloigna d'elle, et finalement, le voile léger du sommeil vint recouvrir sa conscience.

Tu montes à cheval

Il y a beaucoup d'images de ce genre gravées dans ma mémoire, comme si elle t'avait immortalisée sur pellicule.

Ta cambrure donne l'illusion que ton allure est fière et assurée. Comme si tu étais à ta place sur le dos d'un cheval. Ou est-ce ton port de tête ? Ton cou planté droit comme un I ?

Pourtant, tu n'avais jamais vu de cheval jusqu'à présent, pas d'aussi près en tout cas. Tu n'es chez nous que depuis deux semaines, et là d'où tu viens, il n'y a pas de chevaux.

Ton visage, lorsqu'il est tout à fait paisible comme en ce moment, pourrait être celui d'une statue : le front très haut et bombé, les larges pommettes, le menton volontaire sous les lèvres pleines – tout cela pourrait avoir été modelé par un sculpteur.

Je me demande ce qui te passe par l'esprit tandis que tu trottes avec d'autres à travers la forêt, en tête de caravane. Devant des poneys, montés par des enfants que leurs parents accompagnent. Un peu plus tard, je te perds de vue ; on a besoin de moi à l'arrière, pour tenir la bride d'un de nos petits derniers.

Nous passons le week-end dans un centre équestre avec d'autres familles, et faisons une excursion en montagne. Précédant tout le monde, le fermier, sur son tracteur, remorque une roulotte pour les randonneurs paresseux ou fatigués.

C'est une journée d'avril typique, fraîche et changeante. De temps à autre, le soleil perce à travers les nuages, gorge de lumière les feuilles mouillées et fait monter à mes narines un parfum de bois et de terre humides. J'ai envie d'ôter ma veste.

La pente est raide. Toutes les demi-heures, on fait une halte, le temps de reprendre haleine. Les montures changent de cavalier.

Je reste à distance respectueuse du poney que j'ai tiré tout le temps derrière moi.

Et voilà que quelqu'un descend en courant. Il faut que je vienne ; tu es dans la roulotte et tu ne te sens pas bien.

Vite, je tends les rênes à un autre et je me précipite le long de la file de poneys occupés à brouter herbe et feuilles. Je grimpe dans la remorque et te trouve assise sur un des deux bancs. Petite, un peu recroquevillée. Toute autre que celle qui se tenait fièrement sur le cheval.

Je m'assois à côté de toi :

— Qu'est-ce qu'il y a ?

— Le ventre..., me fais-tu comprendre par gestes.

Balançant et cahotant, la roulotte se remet en route. Le ronflement du tracteur est assourdissant. Assis à côté du fermier, notre benjamin rayonne.

J'entoure tes épaules de mes bras et tu poses ta tête contre la mienne. Le naturel avec lequel tu fais cela me touche et m'étonne. Tout comme l'aisance avec laquelle tu me dis « Maman ». Depuis le début.

Une fois rentrées, je te conduis dans ta chambre.

— Mets-toi au lit, je vais te chercher du thé à la cuisine.

Tu hoches la tête. Tu connais déjà les mots « thé » et « lit ».

Un instant plus tard, lorsque je reviens avec une grande tasse de thé à la menthe, tu es étendue dans le lit double que tu partages avec une de tes sœurs. Sérieuse et muette, la couverture tirée jusqu'au cou, tu me regardes. Lorsque je pose le thé fumant sur la table de nuit et que je m'installe sur le bord du lit, tu te redresses brusquement et sors de sous la couverture ta culotte, sur laquelle se trouve une tache rouge clair.

Je suis stupéfiée.

Je ne m'attendais pas à cela. Tu n'as que dix ans !

Que dois-je faire ?

Nous n'avons pas encore assez de mots l'une pour l'autre, pour pouvoir en parler. Nous ne pouvons compter que sur nos gestes.

C'est peut-être mieux ainsi. J'enserre une nouvelle fois tes épaules de mes bras, et je me mets quand même à te parler. Le timbre de ma voix doit malgré tout t'apporter un certain sentiment de sécurité. Et je ne peux pas renoncer complètement aux mots.

J'ai oublié ce que je t'ai dit.

Après avoir fait le nécessaire et être sortie pour te laisser dormir, je suis restée encore un moment devant ta porte. Le dos contre le mur, j'ai prêté l'oreille à mes pensées.

La confiance absolue que tu me témoignes me rend heureuse.

Ce n'est que beaucoup plus tard, après avoir appris à te connaître, que j'ai compris que ce pouvait être la détresse pure qui t'avait poussée de façon si inconditionnelle dans nos bras.

Jeanne n'avait plus du tout l'impression d'être malade. Elle se sentait revivre.

Emmitouflée dans un pantalon, un pull-over et un poncho en laine, elle était dans les bras de sa mère, assise sur la banquette arrière. La voiture, conduite par Eugène, se rapprochait de l'hôpital bien trop vite à son goût. Chaque mètre de cette progression implacable faisait croître sa révolte face à ce qu'elle allait devoir affronter : attente interminable, examens pénibles, peut-être même piqûre. Oh non, surtout pas d'aiguille !

À cette idée, Jeanne se mit à transpirer. Elle aurait aimé se libérer de l'étreinte de sa mère et s'écarter d'elle d'un demi-mètre. Mais en plus d'être serrée par la main de Florence, elle était engoncée dans le poncho. Le tricot de laine aux rayures bariolées avait apparemment été conçu pour un être sans bras, car il n'avait pas d'emmanchures.

Sa famille possédait ce vêtement peu commun depuis longtemps, mais Jeanne n'avait jamais rien vu de comparable ailleurs. Elle supposait qu'il était arrivé un jour d'Europe, dans un paquet, avec d'autres bizarreries.

— *Saligoma* ! Racaille ! pesta Eugène.

Ils étaient en train de passer devant le point d'eau, où plusieurs jeunes des rues s'étaient rassemblés en grappe. Lorsque la voiture roula plus près d'eux que nécessaire, certains firent des grimaces et de grands gestes furieux dans son sillage.

L'hôpital se trouvait juste à côté de la centrale électrique. De même que la prison, sinistre bâtiment en brique à deux étages et aux fenêtres munies de barreaux, protégée du monde extérieur par de hauts murs et des gardiens armés à son entrée.

Jeanne trouvait que, dans l'ensemble, ils s'approchaient d'un quartier de Kibungo particulièrement lugubre.

Eugène tourna finalement dans la cour intérieure de l'hôpital, franchissant le grand portail.

Jeanne poussa un soupir en remarquant la longue file devant l'accueil. Beaucoup de patients, assis ou debout, attendaient déjà sur la terrasse couverte : essentiellement des mères avec leurs bébés ou leurs enfants, quelques jeunes, quelques personnes âgées et un soldat au bras bandé. Il lui faudrait probablement attendre de nouveau jusqu'au soir avant de pouvoir reprendre le chemin de la maison.

Lorsque Eugène s'arrêta, Florence regarda sa montre.

— Reviens vers six heures et attends-nous ici, lui demanda-t-elle.

Eugène se tourna vers elle et inclina poliment la tête :

— J'en profiterai pour faire laver la voiture.

Florence descendit de l'auto, mais Jeanne restait collée à son siège.

— Ça va pas être si terrible que ça ! lui murmura Eugène pour l'encourager.

Mais pour l'heure, elle n'était pas sensible aux paroles de réconfort.

Elle voulait rester assise dans la voiture. Aller avec Eugène à la station de lavage, où se bousculaient les *mayibobo**, les jeunes des rues à la recherche d'un petit boulot. Elle s'y était déjà rendue plusieurs fois avec son père, qui allait y faire laver sa moto, et cela lui plaisait beaucoup.

— Allez, Dédé, il faut descendre ! insista doucement Florence.

— Je ne suis plus du tout malade. Vraiment plus !

objecta Jeanne, dans une ultime tentative pour éviter l'inévitable.

— Allez, viens, maintenant ! dit Florence en la tirant hors de la voiture. On va tout de suite apprendre ce que tu as.

Ce que Jeanne craignait depuis le début était arrivé : assise dans le laboratoire, elle attendait sa piqûre. Comme d'habitude, sa mère l'avait laissée sous la garde de Mathilde, une amie laborantine, le temps d'aller se procurer une seringue.

Florence les achetait toujours elle-même, car elle ne voulait surtout pas courir le risque qu'on utilise pour ses enfants celles de l'hôpital, susceptibles d'être souillées.

Jeanne regardait par la fenêtre ouverte, devant laquelle un autre laborantin procédait à une prise de sang rapide sur des patients faisant la queue dehors.

À tour de rôle, ils lui tendaient un bout de papier pastel. Une brève piqûre sur le bout du doigt faisait perler une grosse goutte de sang, puis la goutte était déposée à l'aide d'une pipette sur une plaquette de verre, et mise de côté avec le bout de papier. De là, elle finirait sous le microscope et le regard attentif de Mathilde. Le processus, bien rodé, se déroulait dans le plus grand calme.

À ce spectacle, Jeanne pensa spontanément à l'école. Ils devaient parfois se mettre en rang, mains tendues, pour recevoir les coups de baguette d'un instituteur, souvent sans savoir ce qui leur valait ce traitement.

Quelques patients se tenaient à l'ombre d'un grand arbre feuillu, près de l'aile du laboratoire. Repliés sur eux-mêmes et plongés dans le silence, ils évoquaient eux aussi le calme absolu. Comme s'il se dégageait des lieux quelque chose d'intimidant qui coupait le souffle à tous.

Mais le silence fut soudain brisé.

Jeanne ne fut pas la seule à être surprise par le bruit ; ceux qui attendaient devant la fenêtre tournèrent aussi brusquement la tête, pour voir de petits individus à la voix claironnante se diriger d'un pas pressé vers le laboratoire.

Ils se ressemblaient tous, enveloppés de blanc des pieds à la tête – calotte, masque et blouse longue.

Ils s'approchèrent résolument de la fenêtre, s'y arrêtèrent et, curieux, passèrent la tête par l'ouverture. La peau autour de leur nez et de leurs yeux était très claire. Comme du lait coloré de quelques gouttes de thé seulement. Ils n'arrêtaient pas de jacasser, et lorsqu'ils découvrirent Jeanne sur sa chaise, ils lui firent signe avec animation.

À la forme de leurs yeux sombres, brillant entre des paupières étirées obliquement, Jeanne comprit que c'étaient des Chinois. Elle savait même où ils habitaient ; Florence lui avait montré la maison chinoise, située tout près de la poste.

Le groupe s'éloigna de la fenêtre et s'engouffra aussitôt dans le laboratoire.

Jeanne se rendit compte avec effarement que les Chinois avaient probablement des visées sur elle : voilà qu'elle était cernée !

Un langage incompréhensible, aux inflexions chantantes constamment entrecoupées de rires étouffés, envahit ses oreilles.

Des nez se baissèrent pour la renifler, une main tira sur son poncho, une autre en souleva l'ourlet dentelé, comme si un secret était caché dessous. Et quelqu'un lui prit les mains. « Au secours, pensa Jeanne, ils essaient de me déshabiller ! »

Elle jeta un regard désespéré à Mathilde, mais celle-ci, assise sereinement devant son microscope, observait la scène sans bouger et s'en amusait visiblement. Un large sourire s'étalait sur son visage.

Jeanne était outrée. C'était tout sauf drôle.

Les Chinois aussi avaient l'air vraiment réjoui. Si leur bouche restait masquée par le rectangle blanc, leurs paupières étirées, si crispées de rire que leurs yeux disparaissaient complètement, les trahissaient. D'ailleurs, on les entendait glousser.

C'en était trop.

Jeanne éclata en sanglots.

Aussitôt, les petits rires se turent et laissèrent la place à un claquement de langue navré. Quelqu'un lui caressa les épaules et lui tapota affectueusement la joue.

Les autres cessèrent de l'ennuyer et firent un pas en arrière.

Mathilde, maintenant attentive, finit par quitter son microscope et s'approcha d'elle :

— Mais qu'est-ce qui t'arrive, Dédé ? Tout va bien !

Jeanne hoquetait.

— Mais de quoi as-tu peur ?

En un geste de refus, Jeanne remonta les genoux et y enfouit la figure.

Mathilde secoua la tête sans rien comprendre. Puis, dans une langue étrangère, elle expliqua quelque chose aux Chinois, qui enlevaient l'un après l'autre leur masque et souriaient toujours.

L'un d'entre eux répondit dans la même langue et tira de nouveau sur le poncho de Jeanne, le visage rayonnant.

— Tu vois, Dédé, tu n'avais pas de souci à te faire. Ils admiraient simplement ta jolie cape. Mais qu'est-ce que tu t'es imaginé ? s'enquit Mathilde.

Jeanne serra les dents. Elle ne voulait pas répondre, parce qu'elle avait honte. Elle voulait que les Chinois s'en aillent tout de suite et la laissent tranquille. Et Mathilde aussi !

Lorsque la porte s'ouvrit et que sa mère réapparut enfin, Jeanne était si soulagée d'être délivrée de cette situation humiliante qu'elle se précipita à sa rencontre. Même si la présence de Florence signifiait que la piqûre était désormais imminente.

Sur la route du retour, consolée par un grand sachet de bonbons qu'Eugène avait acheté en chemin, dans un kiosque, Jeanne recouvra la parole. Volubile, elle raconta son aventure avec les Chinois, s'indignant dans le même temps contre Mathilde qui l'avait laissée tomber. Ses joues brûlaient d'excitation. Arrivée à la maison, elle descendit aussitôt de la voiture et courut jusqu'à l'entrée, sans tenir compte du regard d'avertissement de sa mère.

Mais dans le vestibule, elle fut accueillie par des voix inconnues résonnant dans la salle à manger. Étonnée, elle se figea sur place. Aucune visite n'était annoncée, pourtant ! Elle se retourna et chercha Florence du regard.

Simultanément, mais venant de directions opposées, son père et sa mère apparurent dans le couloir. Ananie était suivi par sa belle-sœur Joséphine, accompagnée de sa benjamine, Marthe. Et les visages d'Ernestine et de Charles, les enfants presque adultes de Joséphine, surgirent dans l'encadrement de la porte de la salle à manger, à côté de Jando. Teya força le passage et courut au-devant de Florence.

Si cette dernière était étonnée de cette visite inattendue, elle n'en laissa rien paraître. Elle accueillit Joséphine avec une étreinte chaleureuse et souleva Marthe, cramponnée à la jupe de sa mère, pour l'embrasser affectueusement.

— Ah, vous voilà ! s'exclama Ananie. Alors, qu'est-ce qui lui arrive ?

— C'est ce que je craignais..., répondit Florence. Pierre dit que c'est la malaria. Il faut vraiment qu'on fasse quelque chose contre les moustiques !

En apprenant ce qu'elle avait, Jeanne prit peur. Quelque temps plus tôt, Teya avait eu la malaria, et il avait fallu attendre très longtemps avant que les accès de fièvre récurrents ne cessent totalement.

— Retourne vite te coucher, Dédé, exigea Florence. Tu dois te reposer.

Mais Jeanne n'avait aucune envie d'aller au lit.

— Je veux d'abord boire quelque chose ! objecta-t-elle.

Et elle se faufila dans la salle à manger. Les autres lui emboîtèrent le pas, et Florence, portant toujours Marthe dans ses bras, lui versa un gobelet de thé.

Jeanne et sa maladie furent momentanément oubliées dans le méli-mélo des retrouvailles. Jeanne en profita pour s'installer dans un coin, ni vu ni connu. Si elle avait de la chance, il faudrait un moment avant qu'on ne fasse de nouveau attention à elle. Tout en mordillant le bord de son gobelet, elle ouvrit grand les oreilles.

Florence se plaignait amèrement de la longue attente à l'hôpital. Puis elle rapporta sa conversation avec le pédiatre.

— *Dieu soit loué,* ce n'est pas une forme grave de malaria, conclut-elle. Nous pouvons soigner Dédé à la maison. D'ici à ce que l'école reprenne, elle sera sûrement guérie.

— *Très bien*, intervint Ananie. Je te promets que je m'occupe du lavoir dès demain. Ensuite, je poserai des moustiquaires. J'aurais dû y penser plus tôt.

Il se tut. Puis il ajouta incidemment :

— Ernestine et Charles aimeraient passer quelques jours chez nous. *D'accord ?*

— Alphonse est à l'étranger, en ce moment. Il revient ce week-end, expliqua Joséphine.

Elle regarda autour d'elle, incertaine. Et lorsqu'elle se remit à parler après un silence, ce fut pour chuchoter :

— Je ne sais pas ce que ça veut dire... Depuis peu, les miliciens sont partout dans notre région... Ils pillent les maisons. Ils ne sont pas encore venus chez nous, mais tout ça me fait peur... Tout à l'heure, je vais rentrer à Zaza avec Marthe, en taxi. Nous pouvons rester chez ma mère jusqu'au retour d'Alphonse. Je pense qu'en attendant, Ernestine et Charles seront plus en sécurité chez vous. Ce n'est que pour quelques jours !

Avec un soubresaut, Florence déposa Marthe.

— Quand êtes-vous arrivés ? demanda-t-elle soudain. Vous devez tous avoir faim.

D'un geste énergique, elle poussa Jando vers la porte :

— Cours à la cuisine, et avertis Zingiro que nous avons des invités ce soir ! Teya, tu peux aller avec lui. Regarde si le repas est prêt. Et toi, Dédé, va immédiatement te coucher, tu as compris ? Je viendrai te voir plus tard.

Jando, prenant la main de Teya, obéit sans discuter.

— Ne veux-tu pas passer la nuit ici, toi aussi ? proposa Florence à Joséphine. Marthe et toi, vous pourriez prendre le bus demain matin.

Joséphine ne répondit pas immédiatement.

— Commençons par manger tranquillement. Tu y réfléchiras, suggéra Florence.

Puis elle fusilla Jeanne du regard :

— Dis donc, qu'est-ce que tu attends, Dédé ?

Irritée, un sentiment de malaise lui tenaillant le ventre, Jeanne alla dans sa chambre. Elle resta assise un moment au bord de son lit, à ruminer, avant de se glisser sous la couverture. Elle mit longtemps à s'endormir.

Des heures plus tard, elle se débattait dans ses draps, aux prises avec un cauchemar provoqué par la fièvre.

De petits êtres aux yeux bridés s'agitaient autour d'elle, la bouche cachée derrière un masque. Armés de seringues démesurément longues, dont les aiguilles étaient braquées sur Jeanne comme autant de canons de fusil, ils s'approchaient d'elle. Elle voulait crier, mais elle n'avait plus de voix.

Au lieu d'uniformes blancs, les Chinois portaient des costumes de grenouilles, tachetés de vert et de brun.

La cloche sonna une première fois.

Comme toujours, les enfants s'arrêtèrent immédiatement, attendant patiemment le deuxième coup.

Qui retentit peu après.

Jeanne se baissa pour ramasser la balle qui venait de tomber près d'elle, sans la toucher, heureusement. Quel dommage qu'il faille déjà arrêter la partie de ballon prisonnier ! La fin de la récréation volait la victoire à son équipe.

Lentement, le groupe des joueurs se dispersa, et tous les écoliers affluèrent vers le bâtiment de brique, chacun se dirigeant vers sa propre salle de classe. Ils s'y mirent en rang deux par deux, alignés par ordre de taille, filles et garçons séparés, créant de longues files devant chaque entrée.

Teya s'approcha d'un autre coin de la cour, où elle avait passé la pause à sauter à la corde. Elle se colla à Jeanne et à Prudence, qui s'étaient déjà placées l'une à côté de l'autre.

Comme elle n'allait pas encore régulièrement à l'école, on se montrait généralement très indulgent lorsqu'elle dérangeait la disposition des rangs. Dans son cas, on fermait volontiers les yeux devant les petites entorses au règlement, même si elle aussi devait se soumettre à la discipline.

Maîtresse Béatrice, l'institutrice de Jeanne, attendait les enfants dans le jardinet situé devant l'entrée de la salle. Pendant la récréation, elle s'était occupée des parterres qui, au début du mois d'octobre, se couvraient de fleurs aux couleurs particulièrement éclatantes. Après les jours chauds et secs, la saison des pluies avait commencé et offrait régulièrement aux plantes substances nutritives et humidité.

Les yeux de maîtresse Béatrice caressèrent encore une fois les boutons de fleurs, puis elle tourna un regard nettement plus froid vers les têtes crépues alignées deux par deux à sa droite. Elle alla posément de l'une à l'autre, tout en semblant les compter en silence. Arrivée à la fin de la rangée, elle fronça les sourcils. Probablement manquait-il quelqu'un.

Jeanne se retourna furtivement et aperçut Adolphe, son voisin de table, qui se hâtait de traverser la cour de l'école, à plus de dix mètres de là.

« Le pauvre ! Pourvu qu'on ne l'oblige pas encore à rester toute une heure à genoux derrière les rangées de bureaux », pensa-t-elle. Elle aimait bien Adolphe. C'était un garçon agréable, toujours gentil avec elle, bien qu'elle soit une fille.

La cloche sonna pour la troisième fois.

L'institutrice passa devant. À chacun de ses pas, la fente de sa jupe longue et étroite s'ouvrait un peu, dévoilant de puissants mollets. Ses cheveux arrivant aux épaules étaient lissés et retenus par une grosse barrette.

Les enfants entrèrent dans la salle de classe et se placèrent silencieusement à côté de leurs places. Garçons et filles – mélangés pour assurer la tranquillité générale – se tenaient à gauche et à droite des bancs, alignés en trois longues rangées devant le tableau et le pupitre de la maîtresse. Plus de trente élèves s'y installaient.

La pièce était nue, à l'exception d'un crucifix et d'une image de la Vierge Marie, juste à côté de la porte.

Sans oublier quelques panneaux déjà jaunis, porteurs de mots-clés dont certaines lettres ressortaient en couleur.

C'était la dernière heure de l'après-midi. Ils s'étaient acquittés de la prière et du salut, et attendaient maintenant qu'on les autorise à prendre place.

Ce jour-là, il était prévu qu'ils dessinent. Jeanne espérait qu'on leur permettrait de ressortir aussitôt dans la cour, avec bloc et crayons. C'était généralement le cas quand il faisait beau.

Ils représentaient alors des arbres, des maisons, l'église à côté de l'école, des plantes. En un mot : tout ce qui se trouvait à proximité immédiate.

Au moment où maîtresse Béatrice ouvrait la bouche pour leur donner d'une voix sonore l'ordre de s'asseoir, Adolphe arriva à sa place, hors d'haleine.

Jeanne n'osa pas le regarder. Le visage sagement tourné vers l'avant, elle attendit, tendue, la réaction de l'institutrice.

Il arrivait très souvent qu'Adolphe n'entende pas la cloche. Chaque récidive étant sanctionnée plus durement que la précédente, il fallait s'attendre, cette fois-ci, à ce que la maîtresse envoie quelqu'un chercher la baguette.

Mais, étonnamment, elle ferma la bouche et se contenta de terrasser le contrevenant du regard, jusqu'à ce qu'il baisse la tête. Lorsque les lèvres de maîtresse Béatrice se retroussèrent de nouveau, les mots sifflèrent avec force à travers le large espace séparant ses incisives saillantes :

— Asseyez-vous ! ordonna-t-elle.

Comme par miracle, Adolphe venait d'échapper à sa punition.

Les enfants se glissèrent sur leurs bancs et posèrent les mains sur le plateau incliné devant eux. Teya était assise à gauche de Jeanne, seulement séparée d'elle par le passage étroit entre les rangées. Sans-gêne, elle regardait avec des yeux ronds Adolphe, dont le menton était toujours collé à la poitrine.

— Bon, les enfants, écoutez-moi bien, maintenant ! Nous n'allons pas dehors, pas tout de suite, en tout cas. Je dois vous demander quelque chose !

L'institutrice marqua un petit temps d'arrêt, avant de poursuivre :

— Vous savez sûrement tous quelle est votre ethnie. Je dois inscrire votre appartenance dans ma liste.

Elle prit la feuille de papier qu'elle avait préparée, et un crayon.

— Bien ! Tous les Hutus debout !

La plupart des élèves se levèrent et se placèrent à côté de leurs bancs. Certains, non sans hésitation. Comme Prudence, dont les parents appartenaient à des ethnies différentes. Sa mère était tutsi, son père hutu. Mais c'était l'ethnie du père qui comptait.

Seuls sept enfants, parmi lesquels Jeanne, étaient encore assis à leur place.

Teya aussi s'était levée. Lorsque Jeanne s'en aperçut, elle se rapprocha d'elle :

— Qu'est-ce que tu fais ? Rassieds-toi ! Ce n'est pas ça !

Teya lui donna un coup de coude.

— Si, c'est ça ! siffla-t-elle. C'est toi qui ne fais pas attention.

Jeanne, furieuse, la foudroya du regard :

— Arrête ! Je sais parfaitement que nous ne sommes pas hutus !

— Je vais le dire à Maman ! la menaça Teya.

— C'est ça, vas-y ! Ça te fera une belle jambe, tu verras !

Jeanne lui tourna le dos. Elle en avait assez. Teya était vraiment impossible !

L'institutrice qui, pendant ce temps, avait coché nom après nom sur sa liste, leva les yeux avec irritation :

— Teya ! Dédé ! Qu'est-ce que cela veut dire ? Vous pouvez rester assises. Je sais, de toute façon.

Teya, butée, resta debout à côté de son banc.

— Comme tu veux, Teya, soupira maîtresse Béatrice en se remettant à prendre des notes. Bien, vous pouvez vous rasseoir. Tous les Tutsis debout, maintenant !

Après la remarque de l'institutrice, Jeanne aurait pu rester à sa place. Elle se mit debout malgré tout. Rien que pour rabattre le caquet à sa sœur.

Teya lui pinça le bras.

— Pourquoi tu te lèves ? lui lança-t-elle d'un ton venimeux.

Jeanne l'ignora. Par-dessus la tête d'Adolphe, elle vit Hélène se lever avec une lenteur marquée. Raissa, au contraire, ne faisait pas mine d'obéir à l'ordre. Elle pleurait.

Jeanne pouvait la comprendre. C'était un sentiment terrible de faire partie des rares dont l'ethnie était regardée de haut. Cela était généralement à peine perceptible à l'école, mais lors de circonstances de ce genre, il devenait évident que l'on n'était pas tout à fait à sa place.

Ils furent cinq à se lever.

Raissa et Jean d'Amour étaient les seuls à ne pas avoir bougé. Pourtant, Jean ne semblait pas le moins du monde troublé. Jeanne ne pouvait se défendre de penser qu'il souriait intérieurement.

C'était le premier de la classe, un garçon intelligent et plein d'assurance qui suivait le plus souvent sa propre voie et prenait beaucoup de libertés. Nul ne savait s'il était hutu, tutsi ou twa.

Twa ! La plus méprisée des ethnies.

Les mauvaises langues affirmaient que Jean d'Amour était twa. Mais elles n'en avaient pas la moindre preuve.

L'institutrice le dévisagea sans un mot, puis fit une dernière petite croix sur sa liste.

— Asseyez-vous, les enfants ! Nous ne sortirons pas, nous n'avons plus le temps. Prenez vos blocs à dessin et vos crayons. Aujourd'hui, vous allez dessiner notre drapeau.

Comme tous les autres, Jeanne sortit son matériel avec obéissance et prit le crayon rouge, le jaune, le vert et le noir. Elle n'aurait aucun mal à le dessiner de mémoire.

Après tout, elle le voyait chaque matin. Tous les élèves devaient se rassembler à sept heures et demie au centre de la cour de l'école, devant le haut mât où l'on hissait les couleurs de leur pays. Ils chantaient alors l'hymne national :

« Rwanda rwacu Rwanda Gihugu cyambyaye.
Ndakuratana ishyaka n'ubutwari
Iyo nibutse ibigwi wagze kugeza ubu
Nshimira abarwanashyaka
Bavandimwe, b'uru Rwanda rwacu twese
Nimuhaguruke
Turubumbatire mu mahoro, mu kuli
Mu bwigenge no mu mu bwumvikane. »

« Notre Rwanda,
Rwanda, terre de ma naissance,
je te montre mon profond respect par mes efforts et mon assiduité.
Lorsque je pense à tes hauts faits,
je remercie le parti qui a formé ce pays... »

Tout en traçant les contours du drapeau et en divisant le rectangle en trois bandes verticales identiques, Jeanne songea à la troisième strophe de l'hymne :

« Que tous les enfants du Rwanda manifestent leur joie,
notre démocratie est grande, tous y ont aspiré, les petits Tutsis, les petits Twas et les petits Hutus,
et tous les Rwandais qui ont lutté pour elle.
Nous avons tous gagné l'indépendance... »

Elle se demandait pourquoi il était si important, au Rwanda, de toujours préciser l'appartenance ethnique de chacun. Chez elle, le sujet n'était jamais abordé. Au contraire, Jeanne sentait nettement qu'on évitait délibérément les conversations allant dans ce sens. Quant à elle, elle n'aurait pas pu dire quelles étaient les différences. Sans cette liste, elle n'aurait même pas su qui appartenait à quelle ethnie.

Un samedi matin, un peu avant la fin des grandes vacances, deux employés de la municipalité étaient venus chez eux pour recenser les occupants de la maison. Ce n'était pas la première fois. Ananie avait dû présenter ses papiers ; sa carte d'identité[1], portant la mention *Tutsi.*

Jeanne et Teya avaient été interrogées par un des hommes. On les avait questionnées sur leur âge et leurs capacités. Elles avaient dû mettre le bras droit sur la tête et toucher l'oreille gauche avec la main. Puis toucher l'oreille droite avec la main gauche. Cela leur avait paru plutôt stupide et elles avaient pouffé sans inter-

1. La carte mentionnant l'ethnie sera en vigueur de 1931 à 1994. *(N.d.T.)*

ruption. Leurs parents aussi avaient ri, un rire un peu forcé, et Jeanne avait eu la sensation que le salon était chargé d'électricité.

Ayant maintenant colorié entièrement les bandes rouge et jaune de son drapeau, elle prit le crayon vert.

— Fini ! Regarde, Dédé ! chantonna une voix à sa gauche.

Teya levait son dessin bien haut, manifestement fière d'avoir, une fois de plus, surpassé sa grande sœur.

« Quel gribouillis ! » pensa Jeanne, nullement impressionnée, mais elle garda sa réflexion pour elle. Elle remplit avec le plus grand soin la bande verte de son drapeau. Pour finir, elle traça un grand R noir au centre de la jaune[1].

— Là ! fit-elle, contemplant son œuvre.

Au même moment, la cloche retentit pour la dernière fois de la journée. Maîtresse Béatrice se leva lentement derrière son pupitre.

C'était le signal : il fallait maintenant ranger ses affaires, se lever, dire la dernière prière.

L'école était finie.

Après que Jeanne eut dit au revoir à ses amies, Teya et elle coururent chercher leur mère dans sa classe.

Teya se mit à sautiller autour du pupitre, crevant d'impatience de bombarder Florence avec les nouvelles de la journée.

— Maman ! attaqua-t-elle aussitôt, sans tenir

1. Drapeau et hymne (plus d'allusions ethniques) ont changé en 2001. *(N.d.T.)*

compte du fait que Florence était encore occupée à écrire dans le cahier d'appel. Il faut que je te raconte quelque chose...

Mais Florence l'arrêta avec fermeté :

— Plus tard, Teya ! Je dois d'abord terminer ça. Vous n'avez qu'à m'attendre dehors.

Peu après, alors qu'elles traversaient la place de l'église pour rentrer chez elles, Teya fut incapable de se retenir :

— Maman, maîtresse Béatrice nous a demandé à quelle ethnie on appartenait. Dédé s'est levée au mauvais moment, et elle n'a pas voulu m'écouter ! Alors que la maîtresse avait dit...

— C'est même pas vrai ! la coupa Jeanne, fâchée. Nous ne sommes pas hutus, hein, Maman ?

Elles passaient par le terrain militaire, où des soldats patrouillaient.

— Et qu'avez-vous fait pendant la récréation ? demanda Florence plus haut que nécessaire. Vous m'avez manqué, cet après-midi.

— Si, on est hutus ! protesta Teya.

— Non, on ne l'est pas ! répliqua Jeanne.

Florence tressaillit :

— Pourquoi n'êtes-vous pas venues me voir ? J'avais pris des biscuits, et des fruits de la passion aussi. Vous n'avez pas eu faim ?

— Si, on l'est ! hurla Teya.

Florence donna une bourrade à Jeanne et lui lança un clin d'œil complice, lui faisant ravaler sa réponse virulente. Cela ne lui fut pas facile, mais la façon dont sa mère la choisissait pour alliée l'apaisa.

Elle cligna elle aussi de l'œil :

— Je n'avais pas faim, aujourd'hui. À la récré, on a joué au ballon prisonnier. On était sur le point de gagner, mais malheureusement, ça a sonné.

— Maman ! intervint de nouveau Teya avec impatience. Qu'est-ce qu'on est, alors, hutus ou tutsis ?

— Tais-toi, Teya ! On n'a pas besoin de parler de ça dans la rue, rétorqua Florence. Je t'expliquerai à la maison.

Elle se dirigea vers un kiosque, s'y arrêta et, à la profonde stupéfaction de Jeanne, acheta un sachet de bonbons aux fruits.

— Vous avez peut-être faim, maintenant. Et vous avez fini vos biscuits, dit-elle en tendant le sac ouvert aux filles.

La main de Teya fendit l'air et se mit à fourrager dans le sachet. Elle préférait les rouges.

Et durant tout le reste du trajet, son usine à babillage, bourrée de bonbons, resta exceptionnellement fermée.

Le téléphone sonne

C'est pour toi, comme souvent.

Tu prends le combiné :

— Allô, oui ?... Salut, Manuela !

Tu as une voix spéciale au téléphone. Elle m'apparaît « râpée », en quelque sorte. Comme si tu pétrissais tes mots ou que tu les émiettais, pour qu'ils passent par le fil du téléphone. Mais peut-être est-ce le cas seulement lorsque je suis à portée de voix ?

— Oui, je suis au courant pour le film de ce soir... Oui, merci... Oui, j'ai le droit de regarder la suite demain, exceptionnellement, bien que ce soit un lundi.

Je crois savoir ce dont il est question. L'histoire de Jeanne d'Arc, une œuvre monumentale en deux parties, va passer à la télévision.

Bien sûr que tu as le droit de regarder ! Voilà très longtemps que nous suivons les traces de la sainte dont tu portes le nom depuis ton baptême.

L'été dernier, à Bordeaux – en faisant un crochet depuis la côte atlantique –, nous t'avons photographiée sous sa statue. Le casque de tes cheveux, relevés et tressés en une centaine de nattes serrées, n'a rien à envier à celui, en métal, de la Pucelle d'Orléans. Tout comme ta façon de regarder droit devant toi.

Je songe à Jeanne d'Arc, qui m'a toujours beaucoup impressionnée, tout en restant une énigme pour moi. Je pense à son courage inébranlable.

Voilà que je t'entends rire :

— Oui, comme ça, tu es au courant, maintenant ! Je ne viendrai pas à l'école mardi, puisqu'on me brûle demain soir.

Tu dis ça gaiement, et tu ris sans réfléchir, enfant du siècle.

Non, pas toi !

J'en ai la chair de poule.

SECONDE PARTIE

TURI ABATABAZI
NOUS SOMMES EN DEUIL

Tant que les morts ne seront pas enterrés,
nous les veillerons près du feu.

Un frôlement sur son épaule réveilla Jeanne en sursaut.

Elle ouvrit les yeux, pour les refermer immédiatement. Sa chambre était envahie par la pénombre, et son horloge interne lui disait qu'il était encore bien trop tôt pour se lever.

Pendant la nuit, la tempête avait fait rage, des coups de tonnerre l'avaient arrachée plusieurs fois à ses rêves et elle n'avait pu commencer à se reposer que longtemps après minuit. À présent que le calme était enfin revenu, elle ne demandait qu'à continuer à dormir. C'étaient les vacances de Pâques, après tout !

Elle se roula en boule et tira la couverture jusqu'à son nez.

— Dédé, tu dois te lever, il s'est passé quelque chose d'affreux ! chuchota la voix de Jando à son oreille.

N'étant pas prête à lui obéir si tôt, elle fit entendre quelques grognements indignés et remonta la couverture un peu plus haut.

— Dédé, écoute-moi, maintenant ! Il faut que tu te lèves !

La voix était toujours étouffée, mais elle vibrait d'une urgence qui alarma Jeanne. Elle ouvrit les yeux et releva la tête.

— Mais qu'est-ce qui se passe ? murmura-t-elle, affolée.

Jando était assis au bord de son lit. L'obscurité brouillait ses traits et rendait méconnaissable l'expression de son visage, mais son attitude trahissait son abattement.

— Notre président s'est écrasé en avion au-dessus de sa résidence. Avec le président du Burundi. Leur appareil a été abattu. Ils sont morts, comme tous les autres passagers. Ils en ont parlé aux informations hier soir, mais tu dormais déjà.

Jeanne se redressa lentement. Elle se refusait à croire aux paroles de Jando. Il voulait sûrement l'effrayer, c'était tout. Autant de morts... Ce n'était pas possible !

— Tu mens, arrête ! répliqua-t-elle sèchement. Tu cherches toujours à m'avoir !

Il inspira profondément.

— Tais-toi ! lança-t-il. Je ne me permettrais pas de plaisanter avec ces choses-là ! Et maintenant, sors de ton lit, tu l'apprendras bien par toi-même.

Il se leva brusquement et sortit en claquant la porte.

Elle l'avait suivi des yeux, oppressée. Ce n'était pas du tout son genre de se mettre en colère contre elle aussi vite, mais peut-être cela faisait-il partie du jeu ? Dans le silence qu'avait laissé son départ, il lui sembla entendre les battements irréguliers de son cœur. Il fallait au moins qu'elle acquière une certitude.

Elle sortit les jambes du lit, saisit la robe qu'elle avait préparée la veille au soir et se débattit avec l'encolure et les emmanchures. Elle écarta un peu le rideau. D'épais nuages plombés pesaient sur le jardin, et les cimes noires des arbres ruisselaient d'eau. Le ciel, bouché, ne permettait pas de deviner l'heure. Dehors, elle ne put découvrir aucun des signes d'activité habituels. Le jour ne s'était probablement pas encore vraiment levé. Jeanne bâilla. Fatigue et perplexité la faisaient trembler. Elle n'avait qu'une hâte : retourner dans son lit.

Pourtant, elle se secoua, ouvrit la commode et en sortit un pull. Le bleu clair aux manches grises, qu'elle aimait beaucoup. Elle l'enfila par-dessus sa robe et mit ses chaussures.

Elle hésita encore un moment, puis ouvrit la porte et sortit dans le couloir obscur, tendant l'oreille.

Rien.

Juste le silence.

Ne comprenant pas, elle se demanda si Jando n'avait pas simplement voulu la faire enrager, finalement.

Sans hésiter, elle traversa le corridor et atteignit en quelques pas le cabinet de travail de son père, où se trouvait la radio. En l'allumant, elle pourrait peut-être entendre les informations et découvrir la vérité. La porte du bureau était juste contre. Elle l'ouvrit en la poussant du plat de la main et tourna aussitôt à gauche, vers la petite table d'angle située entre les étagères. À tâtons, elle chercha les boutons et mit le poste en marche.

Aussitôt, une musique étrange en jaillit. Des notes graves, plaintives, bien trop pesantes pour pouvoir suivre un rythme, se traînèrent à travers la pièce et l'enveloppèrent d'un voile aussi lugubre que le matin. C'était un mélange curieux de voix instrumentales, une lamentation sans paroles. Elle n'avait jamais rien entendu de tel. Les sons languissants ne traversaient pas seulement les oreilles, ils transperçaient aussi les pores comme une douleur lancinante, s'emparant de Jeanne et la faisant frissonner. Elle ne voulait pas la subir !

Elle tourna précipitamment le bouton. Mais chaque fois que bourdonnements et crépitements cédaient enfin la place à un nouveau canal, elle retombait sous l'emprise de la musique qui avait pris le contrôle de la radio. C'était surnaturel.

— Qu'est-ce que tu fais, Dédé ? Arrête de jouer avec les boutons !

L'ordre tranquille de son père, à l'autre bout de la pièce, la prit par surprise. Mais c'est à peine s'il l'effraya. Au contraire ! Elle était soulagée. La voix familière avait rompu le maléfice et l'avait recueillie avant que la peur ne la submerge.

En entrant, elle était tellement obsédée par le poste de radio qu'elle n'avait même pas remarqué Ananie. Il était assis à son bureau, près de la fenêtre, à moitié tourné dans sa direction. Il n'avait pas allumé de lampe, mais cette partie de la pièce était faiblement éclairée par la lueur grise de l'aube. Des papiers étaient étalés sur la table devant lui, et son bras reposait sur le dossier de la chaise.

Jeanne éteignit docilement la radio et fit quelques pas vers son père. Et, malgré la timidité qui s'emparait toujours d'elle en sa présence, elle lui demanda sans détour :

— Qu'est-ce qu'il y a, Papa ? Pourquoi est-ce qu'ils passent une musique aussi bizarre à la radio ?

Il écarta pouce et index, et rajusta ses lunettes. Un geste que Jeanne lui avait vu faire des centaines de fois. Pensif, il fixa son visage à travers les verres ronds. Comme s'il préparait une de ses explications détaillées. Mais finalement, il se contenta de répondre :

— Notre président est mort. Il se peut que la guerre arrive bientôt ici. Va voir les autres, Dédé ! Tu devrais boire quelque chose.

— Papa..., commença-t-elle, hésitante.

Elle avait encore tant de questions ! Elle voulait savoir ce qui se passerait si la guerre arrivait chez eux.

Mais il s'était déjà détourné et se penchait de nouveau sur ses papiers.

Elle sortit silencieusement.

La salle à manger était vide. Effroyablement vide, comme lui apparaissait toute la maison. Où était sa mère ? Où était Teya ? Et Jando ? Elle ne les trouvait nulle part, mais elle n'entendait pas davantage leurs voix !

Rien n'était comme d'habitude. Et brusquement, elle fut saisie par la terrible certitude que plus rien ne serait comme avant. Son cœur s'arrêta à cette idée, comme s'il ne pouvait plus se résoudre à battre. Un douloureux écho de la musique qui s'était enfoncée dans ses oreilles lui fit monter les larmes aux yeux.

Les doigts fébriles, elle prit la bouteille Thermos, versa de la bouillie d'*amasaka** chaude dans un gobelet et sucra la boisson. Suivant son intuition, elle se dirigea vers la porte de derrière, restée ouverte.

Elle s'arrêta sur le seuil, s'essuya les yeux et fouilla le jardin du regard. Entre-temps, le ciel avait commencé à s'éclaircir. La couverture nuageuse était un peu plus haute et se déchirait même par endroits. De la vapeur s'élevait de la prairie, et des gouttes tombaient des arbres. Jeanne entendit quelques chants d'oiseaux, puis des voix venant de la réserve.

Elle tendit l'oreille.

Et reconnut Julienne, et Ndayambaje, le domestique que Florence avait engagé après s'être séparée de Zingiro.

Que faisaient-ils là, si tôt le matin ?

La fenêtre de la réserve était grande ouverte. Tenant toujours son gobelet brûlant, Jeanne s'approcha des voix avec précaution. Le récipient lui réchauffait les doigts. Elle s'assit sur le petit mur, non loin de la fenêtre, souffla sur sa bouillie et en aspira la surface, en se donnant beaucoup de peine pour suivre la vive discussion qui se déroulait à l'intérieur.

Cela n'avait rien de facile, car Julienne et Ndayambaje essayaient de parler le plus bas possible. Il était manifestement question des nouvelles.

— Tu crois que ce sont les rebelles qui ont abattu l'avion ?

— Qui d'autre ?

— Je ne sais pas... Ils sont tous morts, après tout... Le président du Burundi, deux ministres du Burundi, des hommes politiques rwandais qui voulaient pourtant faire la paix avec les rebelles... et l'équipage français...

— Et si ce n'étaient pas les rebelles... ?

— Qu'est-ce que ça veut dire : « nul ne doit quitter son domicile » ?

— Combien de temps cette situation va-t-elle durer ? Comment faire si on ne peut même pas aller chercher de l'eau !

— Et s'il y a la guerre ? Pourquoi on resterait ici ? Je veux rentrer chez moi ! Tout de suite ! Dans ma famille !

Après cette exclamation de Julienne, le calme régna momentanément. Peu après, la voix d'un présentateur radio retentit :

— ... Les troupes du gouvernement ont repris leurs opérations de contrôle aux premières heures de la matinée. Nul ne doit quitter son domicile pour l'instant...

Tout en écoutant ces mots, Jeanne buvait gorgée après gorgée sa bouillie d'*amasaka* chaude.

Ils communiquèrent une fois encore la nouvelle du décès du président, nommèrent tous ceux qui étaient morts avec lui et dirent que la conférence de paix avait échoué. Après une courte pause, ils se remirent à diffuser une marche funèbre.

Jeanne se boucha les oreilles avec les mains. Sur le point de courir jusqu'à la réserve pour éteindre la radio des deux domestiques, elle fut distraite par Jando, qui quittait justement la cuisine et venait vers elle.

Après avoir lancé un regard furtif en direction de la fenêtre, il s'installa sur le mur, à côté de Jeanne.

— Maintenant, tu sais, dit-il d'un ton grave.

Il restait assis là, plongé dans ses pensées. Ployant sous un poids invisible qui poussait ses épaules étroites en avant. Ses longs doigts osseux pendaient au-dessus de ses genoux, ses yeux sombres erraient sans trouver le repos. Le silence qui avait suivi ses paroles était tel qu'il interdisait à Jeanne toute intervention, même si cela lui était presque insupportable.

Voir Jando dans cet état était pire que tout ce qu'elle avait dû endurer ce matin-là. Même si elle avait déjà vécu avec lui des moments semblables, tous aujourd'hui révolus, cela lui faisait très peur.

Il arrivait à Jando d'être assailli par de noirs pressentiments. Plusieurs fois déjà, alors qu'il s'était produit quelque chose qu'il considérait comme de mauvais augure, il avait sombré dans un profond abattement que Jeanne ne parvenait pas à s'expliquer.

Peu de temps auparavant, quelques jours seulement après le huitième anniversaire de Jeanne, ils s'étaient assis tous les deux sur le petit mur, exactement comme ce matin-là. Il faisait déjà sombre et c'était l'heure d'aller au lit, mais ils s'étaient attardés pour se laver les pieds et s'étaient disputé la bassine d'eau. Ce faisant, ils avaient fixé l'unique coin sombre de la maison, un endroit que l'éclairage extérieur ne couvrait pas.

Si un monstre devait surgir un jour, il se frayerait un passage depuis cet endroit précis, ils n'avaient aucun doute là-dessus. Et, comme si souvent, ils avaient réfléchi à ce qu'ils pourraient faire, le moment venu.

— Tu crieras à l'aide bien fort. Et tu t'enfuiras en courant le plus vite possible. Je me battrai contre lui, avait dit Jando.

— Pff ! avait répondu Jeanne. Ça fait longtemps que je n'ai plus aussi peur que toi !

Elle croyait dur comme fer qu'elle était la plus courageuse de tous.

Avant, chez Nyogokuru, quand les enfants devaient traverser une partie de la ferme particulièrement vaste et sombre pour arriver à leur chambre, les autres filaient toujours comme s'ils avaient le diable à leurs trousses. Même Jando. Jeanne, au contraire, prenait tout son temps, surmontant son appréhension en sifflant ou en chantant à voix haute. Et lorsqu'elle arrivait finalement, exagérément lentement, bonne dernière, elle se sentait supérieure.

Non. En aucun cas elle ne se sauverait et n'abandonnerait Jando à son sort.

— Je resterai. Et je te protégerai ! avait-elle affirmé. Je me mettrai au milieu, entre le mur et toi. Comme ça, il m'attrapera la première et tu pourras t'enfuir.

Le meilleur se trouvait toujours au milieu et était pris en premier :cette vérité ancestrale leur venait de Nyogokuru. Si l'on était assez fort, on pouvait se mettre au milieu pour protéger les autres.

Habituellement, Jando protestait farouchement quand Jeanne prétendait être plus forte que lui. Mais ce soir-là, il ne l'écoutait plus attentivement.

— Chut ! Il y a quelque chose ! avait-il chuchoté.

— Tu racontes n'importe quoi ! C'est ton imagination.

— Non ! J'ai très bien entendu. C'étaient des pas. Viens, on va vérifier !

Ils s'étaient glissés jusqu'à la clôture et avaient vu une silhouette passer rapidement le long du chemin et disparaître peu après dans l'obscurité. Un jeune des rues, probablement. Avec, sur la tête, un curieux chapeau auquel était attachée une longue plume.

Jando avait fixé Jeanne, le visage figé, puis il avait déclaré d'une voix sourde :

— C'était un signe. Je le sens bien, Dédé, il va se passer quelque chose de terrible !

Ce midi-là, il y avait des bananes plantains et des petits pois.

Jeanne n'avala presque rien ; les autres aussi touchèrent à peine à leur assiette. Tous paraissaient anesthésiés. De loin en loin, on percevait l'agitation du dehors. Des ombres passant en toute hâte devant leur jardin, des appels excités, étouffés par le piétinement de pieds impatients. Alors, la tension montait autour de la table, mais aucun d'eux ne disait mot.

À un moment, quelqu'un cogna avec un objet dur contre la porte d'entrée, qu'Ananie avait soigneusement fermée avant le repas. Le coup mat, plusieurs fois répété, traversa les os de Jeanne, comme si c'était elle qui était touchée. Elle se cramponna involontairement au bord de la table, et vit que Teya faisait la même chose.

Les yeux de la benjamine étaient anxieusement rivés sur ses parents, en une interrogation muette. Mais ces derniers, au lieu de bouger, se cloîtrèrent dans un silence artificiel. Florence, les lèvres pincées, comme pour empêcher les mots de sortir. Ananie, le regard fixe et absent.

« Mais qu'est-ce que ça veut dire ? avait envie de crier Jeanne. Que nous arrive-t-il ? »

Car il ne faisait plus aucun doute pour elle que quelque chose allait se produire. Seulement, elle ne savait pas quoi, et ce doute la torturait.

Lorsque Florence se leva et commença à débarrasser les assiettes, toujours à moitié pleines, Jeanne sut avec une certitude aveuglante que toutes les règles existantes avaient cessé d'être en vigueur.

— Vous faites la sieste, maintenant ! décida Ananie. Nous passons rapidement chez les voisins.

Aller chez les voisins à midi ? Ça ne s'était jamais vu. Et eux devaient dormir ? Dans un moment pareil ?

Interdits, les enfants regardaient leur père, sans faire mine de se lever.

— Dédé ! Jando ! Teya ! insista Florence, avec une patience forcée. Allez, au lit !

Ils se levèrent l'un après l'autre. D'abord Jando, qui donnait comme toujours l'exemple, puis Teya, et enfin Jeanne. Sans un mot, ils quittèrent la pièce et disparurent dans leurs chambres. Jeanne avait l'impression qu'ils venaient d'être consignés et qu'on leur avait interdit de parler.

Elle ôta ses vêtements, grimpa dans son lit et s'enroula dans la couverture. Si étroitement qu'elle pouvait à peine bouger. L'instant d'après, elle dormait déjà. Elle se réfugia dans un sommeil si profond que, des heures plus tard, il fallut la réveiller pour la seconde fois ce jour-là.

C'était de nouveau Jando.

Il la secouait par les épaules, de toutes ses forces. Elle sursauta, voulait déjà protester, furieuse, mais le visage de son frère, juste devant le sien, l'en retint.

Il essaya de parler, mais ne produisit qu'un son étouffé. Ses doigts, qui tenaient toujours les épaules de Jeanne, étaient plantés dans sa peau comme des griffes.

— Mais qu'est-ce qu'il y a ? demanda-t-elle, bouleversée.

— Gatori..., finit-il par bafouiller. Il est dehors dans la cour... Il a couru jusqu'ici depuis Zaza... Il veut absolument parler à Maman ou à Papa, mais ils ne sont toujours pas rentrés... Dédé... Il a dit...

Il s'arrêta net et déglutit, luttant pour se ressaisir :

— Il a dit qu'oncle Alphonse était mort. Il dit qu'ils l'ont assassiné... Ils ont pillé sa maison et y ont mis le feu... Il dit que c'étaient des voisins... et qu'ils l'ont...

Il était incapable de poursuivre. Un gémissement sortit de sa gorge.

D'un geste brusque, Jeanne se libéra de son étreinte désespérée, sauta du lit et ouvrit le rideau d'un coup sec.

Gatori était là ! Tête baissée, il allait et venait sur la terrasse. Depuis leur dernière rencontre, lors des vacances d'été qui avaient précédé la mort de Nyogokuru, le garçon vacher semblait s'être encore considérablement allongé. En un éclair, elle se rendit compte que c'était la première fois qu'elle le voyait avec une vraie paire de chaussures.

Il leva les yeux et l'aperçut à la fenêtre, mais rien sur son visage n'indiquait qu'il l'avait reconnue. Au même moment, Florence et Ananie entrèrent en courant par le portail de derrière, et Jando, qui venait de quitter la chambre de Jeanne, apparut dans la cour. Julienne, tenant Teya par la main, se précipita vers eux depuis un coin du jardin.

Ndayambaje, comme tombé du ciel, se retrouva aussi près du petit groupe rassemblé autour de l'ancien domestique de Nyogokuru.

Jeanne ne pouvait pas rester une seconde de plus dans sa chambre. Dans son empressement, elle enfila sa robe à l'envers, coutures à l'extérieur. Elle renonça à s'habiller correctement et se rua dehors.

De nouveau, un sentiment indéfinissable la retint sur le seuil de la porte. En retrait, elle vit Gatori, agité, tenter de convaincre les membres de son auditoire, pressés les uns contre les autres, à côté d'une grosse flaque dont la surface brillante reflétait leurs corps.

Jeanne ne bougeait toujours pas d'un pouce. D'où elle était, elle pouvait tout aussi bien comprendre ce que Gatori leur disait.

— Vous devez partir d'ici ! les mettait-il en garde. Ils tuent tous les Tutsis. Je le sais ! J'étais là quand ils ont pris les armes...

Et Gatori poursuivit en leur faisant le récit confus des événements survenus très tôt ce matin-là, dans son village de Zaza. Il ne cessait de s'interrompre, comme s'il devait arracher les mots à sa bouche. Ce qu'il racontait était inconcevable. Si inconcevable que cela semblait dépasser la réalité.

Avant de s'en prendre à d'autres, les hommes du village, armés de machettes, de gourdins et d'outils, s'étaient rendus chez Alphonse, le chef supposé des Tutsis.

Ils l'avaient traîné hors de chez lui et emmené. Ils l'avaient raillé et roué de coups haineux, lui reprochant son attitude hautaine et l'accusant de s'être enrichi de façon illicite. Puis ils s'étaient tous acharnés sur lui, jusqu'à ce qu'il ne bouge plus. L'un d'eux avait eu l'idée d'ériger un monument commémoratif. Avec sa tête. Ils l'avaient séparée de son corps et piquée sur un pieu, puis l'avaient dressée dans la rue pour qu'elle soit visible de tous.

Plus tard, quelqu'un y avait fixé une pancarte, sur laquelle on pouvait lire :

JE SUIS LE ROI DES CANCRELATS. PRENEZ EXEMPLE SUR MOI.

À ce moment de son récit, Gatori s'arrêta car sa voix le trahissait.

Pendant tout ce temps, les personnes réunies autour de lui l'avaient écouté en fixant le sol. Aucun ne se décidait maintenant à lever les yeux. Et, bien qu'elle ne se trouvât pas parmi eux, Jeanne ressentait jusqu'au bout de ses doigts le choc qui les rendait tous incapables de réagir. Elle-même se faisait l'effet d'une poupée que l'on aurait jetée violemment à terre.

Finalement, Ananie leva la main, désemparé.

— Et Joséphine et les enfants ? Les as-tu vus ? prononça-t-il d'une voix presque inaudible.

Gatori le regarda comme s'il n'avait pas compris sa question :

— Ils tuent tous les Tutsis ; les femmes, les enfants...

Florence s'anima enfin. Elle prit Gatori par le bras pour l'empêcher de continuer :

— Merci, Gatori ! Je pense qu'il vaut mieux que tu t'en ailles. Tu risques de te mettre encore en danger. Nous allons réfléchir à ce qu'il faut faire.

Hésitant, il regarda autour de lui. Ses yeux tombèrent sur Jando, l'ami des vacances révolues.

— Allez, cours, avant qu'on ne te voie chez nous ! répéta-t-elle avec insistance.

Il hocha alors la tête. Sans un mot de plus ni un geste d'adieu, il quitta leur cercle et s'éloigna à la hâte par le portail de la cour.

— Le connais-tu suffisamment ? demanda Ananie. Il est hutu, non ? Peut-on vraiment lui faire confiance ?

— Je crois que oui, dit Florence, répondant d'abord à la dernière partie de sa question. Il a très longtemps été garçon vacher chez ma mère. Pourquoi aurait-il fait ce long chemin s'il nous voulait du mal ? Il a pris beaucoup de risques.

Et avec la même détermination avec laquelle elle venait de renvoyer Gatori, elle emmena Ananie dans la maison. Jeanne vit ses parents passer à côté d'elle et se retirer dans leur chambre à coucher, où ils pourraient parler sans être dérangés.

Elle quitta enfin le pas de la porte et se plaça près des autres, entre lesquels une discussion enflammée s'était déclenchée juste après le départ d'Ananie et de Florence.

Julienne était dans tous ses états :

— Comment est-ce possible ? Qui peut bien faire une chose pareille ?

— Je ne le crois pas ! Le garçon a sûrement exagéré. Tout ça n'a aucun sens ! s'exclama Ndayambaje.

— C'est fou ! Les gens ont-ils perdu l'esprit ?

Les yeux de Julienne étaient pleins de répulsion.

— Notre Premier ministre aussi a été assassinée ce matin. Dans sa maison. Avec les soldats belges qui devaient la protéger. Je l'ai entendu tout à l'heure à la radio. À Kigali, il y a du grabuge ! rapporta Ndayambaje.

— Pas étonnant... Une femme Premier ministre...

— Mais comment peut-on enlever la tête à quelqu'un ? se manifesta Teya.

— Tais-toi, Teya ! siffla Julienne en faisant une grimace de dégoût.

Jando mit précipitamment les mains devant la bouche et se détourna.

— Mais je veux savoir comment ils ont fait !

Tandis que les autres continuaient à parler, ignorant Teya, Jeanne réfléchissait. Elle s'était justement posé en silence la question que Teya avait prononcée à voix haute. Et quelque chose d'autre la préoccupait. Peu avant Pâques, elle avait entendu à l'église l'histoire de la crucifixion de Jésus.

Pendant que Gatori leur parlait de la mort de son oncle, l'image de Jésus cloué à sa croix s'était imposée à elle. Mais Jésus avait gardé sa tête, cela, elle en était sûre. La pancarte était le seul point commun. Comme pour son oncle, on avait fixé à la croix de Jésus une tablette où il était question d'un roi.

— Ils se sont sûrement servis d'une machette, intervint-elle, interrompant la conversation des autres.

— Taisez-vous et rentrez ! appela Florence depuis la porte. Vous n'avez pas à faire autant de bruit dehors.

Pris sur le fait, ils obéirent aussitôt. Dans le vestibule, ils se retrouvèrent devant Ananie qui les attendait, beaucoup plus calme qu'auparavant.

— *Alors*, vous allez dans vos chambres et vous vous habillez chaudement ! ordonna-t-il. Ndayambaje, s'il te plaît, emballe-nous à manger et à boire ! Nous allons immédiatement quitter la maison ensemble, pour découvrir quelle est la situation dehors. Zaza dépend d'une autre commune*. Ce qui s'y est passé n'aura pas forcément lieu ici. Je ne crois pas que quelqu'un fasse une telle chose chez nous. *Jamais !*

— Mais ils disent à la radio qu'il est interdit de partir de chez soi..., objecta Ndayambaje.

Ananie lui coupa la parole :

— *Bon*, je sais. Nous serons probablement de retour dès ce soir.

Comment cela a-t-il pu se produire ?

Près d'un million de morts en cent jours seulement. Assassinés ! Pas tombés sur le champ de bataille.

Et le reste du monde a regardé faire. Ou détourné le regard.

— Mais c'est évident, dis-tu. Qui est-ce que ça intéressait ? Qu'est-ce que c'est, le Rwanda, après tout ? Une petite tache au milieu de l'Afrique, un pays que certains ne connaissent même pas. Rien, en somme.

Je te contredis farouchement. En aucun cas tu ne dois voir les choses ainsi. Jamais.

Rien, c'est tout. Tout, c'est rien.

Je pourrais aussi bien te demander ce qu'est la Terre, comparée à la taille de l'Univers. Une crotte de mouche. Le néant. Mais c'est tout ce que nous avons. Et nous sommes tout ce que nous avons. Chacun de nous, comprends-tu, chacun de nous est tout.

Nous approchons des jours de l'extermination et je suis devant une épaisse forêt dont je ne vois pas le bout. Parfois, je nous sens au bord de l'abîme. Chaque pas le long du précipice est un numéro d'équilibriste. Je te retiens et tu me retiens. À quatre jambes, nous sommes plus stables.

Je vais avec toi par-delà mille collines, les gravissant et les descendant l'une après l'autre.

Les dimensions s'ouvrent. Et, lentement, j'approche aussi de l'étendue de ta souffrance, qui est parfois tout, et se dissipe parfois aussi dans le néant.

Comme hier soir, par exemple.

Nous sommes en vacances à Majorque. Nous sommes tous au restaurant, assis autour d'une grande table. Très turbulents, nous partageons le contenu de nos assiettes.

— Fais-moi goûter !

Nous passons le temps avec des jeux, en attendant la suite du service.

Le jeu de la valise. Nous la faisons sans fin, chacun rappelant les objets qu'elle contient déjà et ajoutant le sien à la fin. Tour après tour, elle se remplit. Celui qui se trompe dans l'ordre ou oublie un objet est éliminé.

Tu finis par l'emporter. Ta mémoire des détails te rend imbattable.

— Et lequel de vous peut dire le plus vite : « Les chaussettes de l'archiduchesse sont-elles sèches ? Archisèches ! » ?

Je change de jeu pour m'attaquer à tes problèmes avec le r *et le* l*. Il ne faut pas que tu gagnes sans arrêt.*

Mais cette formule t'est déjà familière. Tu la maîtrises avec aisance, tandis que nous nous empêtrons dans des combinaisons de mots plus embrouillées et emberlificotées les unes que les autres, avant d'exploser de rire.

Notre petit dernier se vautre sous la table. Quant à nous, on glousse, on râle, on braille, on pousse des cris de joie, on dérange les autres clients, on reprend haleine de temps en temps, on poursuit chacun de nous dans ses derniers retranchements pour faire ressortir ses faiblesses, et on se laisse emporter par un rire qui n'en finit pas.

— Chut ! Nous sommes dans un restaurant !

Sous le regard soupçonneux de la serveuse, j'essaie mollement de nous freiner.

— Maman, ton maquillage a coulé !

Qu'est-ce que ça peut bien faire ! Le moment est savoureux. Précieux. Comblé de rires.

Un peu plus tard, une femme vient à notre table. Elle est sur le point de partir. C'est une Anglaise, qui s'adresse à moi et me demande si je comprends sa langue.

Et me dit à quel point ça l'a rendue heureuse de nous voir tous ainsi.

Ndayambaje et Julienne restèrent.

À peine Jeanne, ses parents, son frère et sa sœur avaient-ils franchi le portail du jardin, qu'ils vinrent grossir un flot de gens qui, comme eux, avaient quitté leur maison et pressaient le pas, comme s'il y avait à proximité une manifestation qu'ils ne voulaient pas rater.

Cela s'était parfois produit lorsque le stade de Kibungo était le siège d'une fête particulière ou d'un discours du président, et que l'ensemble des habitants de la ville se mettaient en route.

Comme toujours, Ananie marchait devant. Jando était à ses côtés, et Florence tenait fermement la main de Teya. Jeanne aurait donné très cher pour saisir la main libre de sa mère, mais l'époque de donner la main était révolue depuis longtemps. Elle était une grande fille, maintenant. Et c'est en tant que telle qu'elle voulait se comporter.

Le soleil dardait ses rayons sur l'après-midi finissante et sur les pas précipités. La pluie se remettrait sûrement à tomber, mais probablement pas avant la tombée de la nuit ou l'aube.

Ils choisirent de prendre la direction de l'école. Ils contournèrent le bois d'eucalyptus, et le paysage de collines et de champs s'offrit à leurs yeux.

Jeanne resta clouée sur place.

Alors qu'elle avait suivi ce chemin presque chaque jour, il lui semblait maintenant faire irruption, sans l'avoir voulu, dans un tout autre endroit. Plus rien ne lui était familier.

Des nuages gris-jaune sortaient du sol comme de monstrueux champignons, soustrayant l'église et l'école à leurs regards. Ce n'étaient pas des nuages de pluie, mais des nuages de fumée qui montaient de maisons brûlant entre les collines.

Des ombres couraient. Suivant le tracé de la rue, disparaissant derrière des arbustes et des feuilles de bananier. Jeanne voyait sans cesse des formes isolées surgir et s'évaporer aussitôt après, pourchassées par des appels d'hommes retentissant de colline en colline. À certains moments, une plainte persistante s'élevait ; dans l'entre-deux, on entendait des cris.

Peu après, ils approchèrent du terrain de sport, où toute une foule était déjà rassemblée. De tous côtés, des fugitifs continuaient à affluer.

Jeanne entendit un halètement derrière elle, puis un garçon à peine plus âgé que Jando passa à toutes jambes à côté d'elle. Le regard de Jeanne resta accroché à son dos, entre ses épaules, où sa chemise trempée de sang pendait en lambeaux.

Comment réussissait-il encore à courir ?

Le terrain de sport, une vaste prairie bordée de buissons bas et munie de deux cages de football, accueillait habituellement plusieurs classes. Des épreuves sportives opposant des écoles voisines y avaient lieu de temps à autre. Quant à Jeanne, elle y avait eu plusieurs fois cours de sport avec sa classe. De son école, il ne fallait que quelques minutes à pied.

À présent, le terrain était rempli de gens formant partout de petits groupes et rapprochant leurs têtes pour parler. C'était un va-et-vient sans fin, une épouvantable confusion d'ombres courant à tort et à travers. Jeanne avait l'impression que l'endroit tout entier était agité de mouvements violents, comme un champ de maïs balayé par la tempête.

Ananie regarda autour de lui. Jeanne reconnut quelques enfants de son école, près de leurs familles. Ils la regardèrent comme on regarde une étrangère. Ce n'était plus un lieu où l'on courait se dire bonjour.

Ananie se dirigeait maintenant vers le centre du terrain. Il venait de repérer des voisins, Murayire et Bavakure, accompagnés de leurs deux enfants, Claudine et Angélique. Claudine et Teya étaient amies. Claudine portait ce jour-là un pull-over rouge vif, qui sauta aux yeux de Jeanne. Murayire portait Angélique sur la hanche ; la petite âgée de deux ans se cramponnait à sa mère, la tête pressée contre sa poitrine.

Lorsqu'ils atteignirent le petit groupe, Ananie et Bavakure s'éloignèrent d'un commun accord, sans un mot, et se joignirent à d'autres hommes pour parler avec eux.

Femmes et enfants se serrèrent silencieusement.

Le visage figé, masque sans expression, ils observèrent ce qui se passait autour d'eux. Jeanne sentait la main de Florence sur son épaule, une pression qui ne faiblissait pas et trahissait la tension énorme de sa mère, tout en lui ordonnant de rester calme.

Cette injonction muette était inutile, car Jeanne était incapable de faire quoi que ce soit. Ses sentiments s'étaient recroquevillés dans un sombre recoin et n'en bougeaient plus. Au-dehors d'elle-même, elle entendait des mises en garde désespérées, lancées en courant.

— Que faites-vous encore ici ? Il faut partir. Vous entendez ? Allez vous cacher !

— Les assassins sont en chemin, ils ne vont plus tarder !

— Les *interahamwe** nous débusquent tous ! Ils ont leurs chiens avec eux...

— Sauvez-vous, ils arrivent avec des machettes ! Ils nous tuent tous...

Beaucoup de fugitifs étaient gravement blessés. Certains s'arrêtaient quelques instants. Parlant, à bout de souffle, de maisons en flammes, de bouchers masqués qui s'étaient jetés sur eux avec leurs machettes, d'hommes qui étripaient leurs propres voisins, de familles décimées...

Jeanne entendait les mots et voyait les blessures, mais quelque chose en elle faisait obstacle à l'horreur qui s'emparait des lieux et menaçait de tout engloutir. Elle la tenait en respect, afin qu'elle ne puisse pas s'attaquer à elle, se raidissait sous la pression toujours plus ferme et appuyée de la main de sa mère – seule chose réelle dans ce moment –, et se persuadait qu'ils allaient quitter cet endroit. Et que tout serait fini.

Ananie et Bavakure revinrent. Alors qu'Ananie commençait à parler, quelqu'un se précipita dans sa direction et tomba à genoux devant lui. C'était une jeune fille dont le crâne portait une longue plaie béante. Son visage était gris et couvert de sueur. Elle remua les lèvres pour parler, mais aucun son n'en sortit.

Ananie se pencha vers elle et l'aida avec précaution à se relever.

— Immaculée ! s'exclama-t-il avec consternation. *Mon Dieu*, que t'a-t-on fait !

Au lieu de répondre, elle baissa la tête. Elle tremblait de tout son corps.

Jeanne fixait la zébrure saignante dans les cheveux noirs. Cette vue la choquait profondément. Immaculée ! C'était une élève de son père. Elle la connaissait bien : toujours gaie et débordante de vie. Pleine d'exubérance. Quand elle riait, deux fossettes se creusaient dans ses joues. Et maintenant... Brusquement, l'horreur avait un visage.

— Qui a bien pu la mettre dans un tel état ? chuchota Ananie à Florence.

Il se tourna vers Jando :

— Renseigne-toi, vois si quelqu'un se rend à l'hôpital ! Vite ! Il lui faut immédiatement de l'aide. Et puis, elle y sera sans doute en sécurité.

Jando s'élança. Jeanne venait d'entendre les mots « hôpital » et « sécurité ». C'était le monde à l'envers.

Florence passa le bras autour de la taille d'Immaculée pour la soutenir. Elle lui dit quelques mots d'apaisement. Et, pour la première fois depuis qu'elle avait pénétré sur le terrain de sport, Immaculée sortit de sa torpeur. Les douces paroles qui devaient insuffler du courage à la jeune fille semblaient avoir redonné vie à son visage.

Jando revint bientôt, accompagné de deux jeunes gens qui se placèrent de part et d'autre d'Immaculée et l'emmenèrent rapidement. Une voiture s'arrêta. La portière s'ouvrit. Ils montèrent tous les trois et l'auto redémarra.

Pendant ce temps, quatre individus s'étaient avancés sans se presser vers Ananie, puis arrêtés à quelques mètres de lui. Jeanne reconnut parmi eux un des employés de la municipalité qui avaient encore contrôlé sa famille peu de temps auparavant. L'homme fit signe à Ananie de s'approcher et se mit à lui parler avec de grands gestes. Comme s'il avait quelque chose à proposer ou qu'il voulait négocier. Jeanne vit son père plonger la main dans sa poche de pantalon et leur glisser quelque chose, avant de s'en détourner et de revenir.

— *Alors*, je les ai payés, expliqua-t-il avec brusquerie. Ils vont donc nous protéger. Maintenant, on rentre à la maison, on mange un morceau et on rassemble quelques affaires.

Il fit un signe de tête à Bavakure :

— *À bientôt*, mon ami !

Pendant le retour, à la nuit tombante, le sang recommença soudain à circuler dans les veines de Jeanne, sous ses pas rapides. Il afflua presque douloureusement, jusqu'au bout de ses mains et à la pointe de ses pieds, lui arrachant au passage le cœur, qui se mit à battre frénétiquement et à trébucher sur le rythme régulier des pieds. L'image des maisons en flammes devant les yeux, elle se demandait avec appréhension dans quel état ils allaient retrouver la leur après leur absence.

Elle se dressait au bout du chemin, tranquille et intacte.

Le jaune soutenu des boutons de roses grand ouverts luisait dans le crépuscule, petites lumières accueillantes dans la haie. Nulle part on ne pouvait distinguer le moindre signe avant-coureur de danger. La maison offrait une apparence si paisible qu'elle sembla à Jeanne aussi peu réelle que tout ce qu'elle venait de voir et de vivre.

Ananie ouvrit le portail. Il s'arrêta et tendit l'oreille, avant de traverser le jardin d'un pas décidé et de pousser la porte de la maison.

— Julienne ! Ndayambaje ! appela Florence en entrant.

La maison resta silencieuse.

Florence caressa la tête de Teya.

— Dédé, Jando, allez dans vos chambres et préparez des affaires pour quelques jours et pour la nuit, ordonna-t-elle.

Elle avait l'air exténuée.

— Pantalon, pull, sous-vêtements, vous savez bien. Tout à l'heure, il faudra vous habiller chaudement. Je vous envoie tout de suite Julienne, elle vous donnera un coup de main.

Elle appela de nouveau les domestiques, un peu plus fort qu'avant.

On entendit bientôt s'approcher des pas pressés venant de la cour de derrière. Ndayambaje, qui était manifestement dans la cuisine, entra dans la maison.

— Est-ce que le repas est prêt ? demanda Florence.

Il hocha la tête.

— Où est Julienne ? Il faut qu'elle vienne aider les enfants !

— Elle est partie, dit-il à voix basse, en la regardant de côté et avec embarras. Peu après votre départ.

Une expression de surprise apparut sur le visage de Florence et céda lentement la place au mécontentement.

« *Ça y est, elle va se mettre en colère* », pensa Jeanne.

Mais sa mère dit seulement :

— Ah bon.

Et puis :

— Très bien... Jando, Dédé, allez dans vos chambres ! Commencez tout seuls, jusqu'à ce que je vous appelle. Je viendrai vous aider tout à l'heure. Ndayambaje, nous allons manger rapidement ! Je vais déjà mettre la table.

— Oui, Mama Jando, répondit le domestique. Compris. J'vais m'dépêcher.

Lorsqu'ils quittèrent la maison pour la seconde fois ce jour-là, il faisait déjà noir.

Au cours du repas, Ananie avait expliqué aux enfants qu'il était prévu de passer la nuit chez Bavakure et Murayire, où ils retrouveraient d'autres familles. Ndayambaje allait rester pour garder la maison. Le lendemain matin, on aviserait.

Peu avant qu'ils ne se mettent en route, des voisins hutus avaient frappé à leur porte et les avaient appelés à voix haute. Florence avait tressailli et tenté, en secouant énergiquement la tête de gauche à droite, d'empêcher Ananie de leur ouvrir. Lui aussi hésitait visiblement. Mais, comme les voix dehors ne se calmaient pas, il avait fini par sortir.

— Ils voulaient savoir si nous avions besoin d'aide, avait-il rapporté ensuite. *Donc*, je leur ai donné de l'argent pour qu'ils surveillent la maison en notre absence.

À cet instant, Jeanne avait réalisé que les Hutu, eux, pouvaient rester chez eux. Ou aller où ils voulaient, comme Julienne. Sans se faire attaquer.

Seuls les Tutsis étaient en danger. Elle ne comprenait pas pourquoi, mais cela ne servirait à rien d'en demander la raison. Tandis qu'ils avançaient d'un bon pas, un silence empreint de gravité régnait entre eux. Personne ne lui expliquerait quoi que ce soit pour le moment.

Maintenant, Jeanne devinait aussi pourquoi le choix s'était porté sur la maison de Bavakure. En effet, elle était située plutôt à l'écart, et masquée par les plantations de bananiers.

En sortant pesamment derrière les autres, elle avait eu la sensation d'être un tonneau. Elle portait un pantalon par-dessus son short, et avait enfilé deux pulls sur son tee-shirt. Non pas parce qu'il faisait froid, mais parce que chacun d'eux devait emporter le plus de choses possible.

Jando et Teya avaient eux aussi considérablement augmenté de volume. Légèrement penché en avant, Jando portait son sac de sport sur le dos, les deux bras passés dans les courroies, comme on traîne sa bosse. Si, en d'autres circonstances, Jeanne aurait trouvé hilarant le spectacle de leurs silhouettes gauches et difformes, elle se sentait misérable, à présent.

Lorsqu'ils descendirent le chemin pavé avec leurs maigres bagages, elle tourna la tête et lança un regard en arrière.

Leur maison se dressait dans la nuit. Sans la moindre lueur derrière ses fenêtres, elle semblait sinistre et aveugle. Mais les boutons de roses, petits yeux clairs dans la haie, les regardèrent partir.

Le ciel, envahi d'étoiles innombrables, éclairait suffisamment leur chemin. Ananie et Jando tenaient néanmoins des lampes de poche dont ils braquaient régulièrement le faisceau dans toutes les directions. Ils les promenaient entre les broussailles de part et d'autre du chemin, puis les dirigeaient de nouveau vers le sol.

Les bruits semblaient les mêmes que tous les autres soirs : on entendait le coassement des grenouilles, ponctué par le chant de crécelle des sauterelles, dans le champ de maïs voisin, et par le hurlement plaintif d'un chien de ferme, qui restait sans réponse.

Il n'y avait plus de cris. Juste le crissement de leurs pieds sur les grains de sable du chemin. Même Teya n'émettait aucun son. Jeanne ne l'avait pas entendue de toute la journée.

En approchant de chez leurs amis, Ananie et Jando éteignirent leurs lampes. Ils pénétrèrent dans le jardin de devant. Des ombres masculines postées autour de l'habitation se détachèrent de l'obscurité, vinrent à leur rencontre et levèrent la main pour les saluer. Ananie répondit à leur salut. Il se dirigea vers l'entrée et frappa à petits coups. La porte s'ouvrit aussitôt pour les laisser entrer, sa famille et lui, et se referma derrière eux.

Beaucoup de personnes s'étaient déjà rassemblées dans la maison, bourdonnant de voix étouffées. L'atmosphère était surchauffée et confinée. Murayire conduisit Florence et les enfants au salon. Ananie resta avec les hommes, qui se pressaient dans l'entrée.

Dans le salon, faiblement éclairé par des bougies et des lampes à pétrole, l'air était encore plus chaud et suffoquant que dans le vestibule.

Quelques femmes et jeunes filles, s'affairant avec matelas, couvertures et oreillers, aménageaient pour la nuit un grand campement occupant tout le sol de la pièce. De jeunes enfants allaient des unes aux autres à quatre pattes, certains pleurant, parce qu'ils étaient épuisés ; plusieurs petites filles s'étaient installées par terre, dans un coin, pour ne pas gêner. Assises deux par deux, face à face, elles chantaient :

> *« Un indépendant*
> *Deux députés*
> *Trois, trois boutons*
> *Quatre à l'arrière... »*

Leurs mains levées, paumes en avant, se croisaient au rythme de chaque vers et claquaient l'une contre l'autre. De plus en plus vite, jusqu'à ce qu'une main se retire et que celle qui venait la frapper rencontre le vide. Suivait un gloussement. Vite réprimé, comme s'il était interdit de rire.

Florence et Jando proposèrent leur aide et Teya rampa jusqu'à Claudine, qui s'était déjà allongée sur un des matelas. Jeanne, elle, attendit à l'entrée de la pièce. Elle observait avec inquiétude les autres qui s'activaient. Elle ne pourrait sûrement pas dormir. Elle n'y arrivait pas quand des étrangers la regardaient.

Il y eut encore un tapotement dehors. Elle entendit la porte d'entrée s'ouvrir, puis des voix. Murayire fit entrer dans le salon une jeune femme et son bébé.

Une heure plus tard à peine, Jeanne partageait le camp de matelas avec les autres enfants et quelques mamans. Couchée sur le dos, parfaitement réveillée, elle essayait de saisir des bribes des murmures qui l'entouraient. Elle souffrait de la chaleur émanant des corps des autres, et fixait alternativement la couverture et Jando, assis, genoux repliés, au bord du campement. Incapable elle-même de trouver le repos, elle était reconnaissante pour chaque interruption : par exemple, quand une des femmes dans la pièce à côté vérifiait que tout allait bien, ou quand un retardataire venait se coucher près d'eux. Au moins, la porte ouverte laissait entrer un peu d'air et lui permettait de voir les femmes assises dans le vestibule, sur une chaise ou par terre. Florence était parmi elles. Jeanne remarqua qu'elle non plus ne dormait pas. En contemplant le profil étroit parmi les visages inconnus, le port de tête droit de sa mère, si familier, elle se sentait moins perdue. Elle s'y raccrocha à chaque fois que la porte s'ouvrait.

Angélique s'agitait et gémissait dans son sommeil. Sa mère l'avait couchée à côté de Jeanne, après que Teya et Claudine eurent insisté pour dormir ensemble. De temps à autre, un frémissement parcourait le corps de la fillette. Elle semblait courir en rêve, et donnait des coups de pied à Jeanne.

— Nous devons fuir avant qu'ils ne puissent nous faire quelque chose, chuchota quelqu'un derrière elles.

Tout en réfléchissant à ces mots, Jeanne se demandait si sa famille aussi allait devoir quitter sa maison. Pour longtemps peut-être, voire pour toujours. Cela ferait d'eux des réfugiés.

Le spectacle des réfugiés, fuyant la partie du pays où la guerre contre les rebelles sévissait depuis des années, lui était familier depuis longtemps. Elle les avait souvent apercus passant au loin. Chargés de la tête aux pieds : de nattes, de paniers, de récipients de cuisine, et d'une multitude de sacs dans lesquels ils transportaient leurs biens. Certains d'entre eux avaient une charrette à bras ou des animaux, et Jeanne s'était demandé où ils allaient. Avaient-ils seulement un but ? Chez sa grand-mère, elle avait vu quelques fois des réfugiés venir frapper à la porte pour réclamer à manger ou à boire.

Elle ne voulait pas devenir une réfugiée, et devoir demander la charité !

Peut-être cela aiderait-il si elle priait particulièrement longtemps ce soir-là ?

Elle commença par le Notre Père. Elle ne trouva pas de péchés à confesser. En revanche, il y avait tant de souhaits qu'elle voulait exprimer de façon pressante ! Mais ce n'était pas facile de trouver les mots justes. Les événements de la journée étaient toujours au-delà de ce qu'elle pouvait concevoir ou traduire par des mots. C'est ainsi que ses pensées gravitèrent autour d'une seule et unique phrase, qu'elle murmura inlassablement, jusqu'à ce qu'elle l'enveloppe comme une couverture et la fasse enfin s'endormir, bien après minuit.

— Protège notre maison et notre famille.

— Jeanne, réveille-toi, il faut partir ! On continuera de dormir ailleurs.

La voix de Florence, venant de très loin, se fraya un chemin à travers les nappes de sommeil, jusqu'à Jeanne. Celle-ci l'entendit, sans toutefois émerger. Elle ne se réveilla pas davantage lorsqu'on la sortit du lit et qu'on la redressa. Ni lorsqu'on lui mit ses chaussures et qu'on lui posa quelque chose autour des épaules, avant de la porter dehors. Même lorsqu'elle sentit le sol sous ses pieds et que l'air frais de la nuit l'assaillit, elle resta dans un état de calme, protégée par le sommeil.

Soutenue de chaque côté par Ananie et Jando, elle marchait en trébuchant dans l'obscurité. Partie d'un tout, d'une masse humaine qui avançait tel un seul grand corps et l'entraînait avec elle. Quelque part.

Parfois, quand des pleurs l'atteignaient, sa conscience faisait brièvement surface. Elle tentait d'ouvrir les yeux, mais le sommeil pesait sur ses paupières, la ramenant dans ses profondeurs.

Elle sentit un sol dur sous son dos, le froid qui transperçait la couverture. Encore des pleurs.

La voix de Teya, pleurnicheuse :

— Je ne veux pas dormir sous la même couverture que Dédé.

— Arrête. Nous n'en avons qu'une.

Florence. Tout bas. Fatiguée. Triste ?

La couverture se souleva. Courant d'air frais. Le corps chaud de Teya à côté d'elle. Ce n'était qu'un rêve.

Et les voilà qui revenaient. Les cris !

Jeanne ouvrit les yeux et vit au-dessus d'elle les visages de Florence, Ananie et Jando. Les yeux de Jando étaient démesurément grands, comme s'il devait les écarquiller pour empêcher la fatigue de les fermer.

Elle était étendue par terre, dans une plantation de caféiers, entre des gens et des arbustes.

La nuit s'était déjà dissipée. Du ciel plombé tombait une bruine fine comme de la poussière. Elle s'accumulait sur les feuilles vert foncé des caféiers pour former de grosses gouttes, perles argentées entre les fèves rougissantes. L'humidité traversait la mince couverture entourant Jeanne et Teya. Teya dormait.

Partout, la confusion régnait. Des silhouettes bondissaient, quittaient leur place avec précipitation.

Florence, Ananie et Jando étaient eux aussi prêts à partir. Ananie se pencha :

— Nous allons à Birenga. Nous ne sommes plus en sécurité à la maison.

Jeanne donna une bourrade à Teya. Le corps resta inerte. Un second coup. Teya grogna et riposta en frappant Jeanne.

— Teya, allez, il faut partir. Tu m'entends ?

Ananie prit Teya dans ses bras, et Florence aida Jeanne à se mettre sur ses jambes.

— Dépêchez-vous ! Il est bien trop tard, déjà ! insista-t-elle.

Elle s'empara de la couverture, chacun de ses mouvements trahissant sa peur. Après cette nuit de veille, elle n'avait plus la force de la cacher plus longtemps.

Jeanne frotta ses membres raides et douloureux. Elle essayait désespérément de repousser la crainte paralysante qui, communiquée par sa mère, la gagnait lentement et s'insinuait en elle comme la pluie dans le tissu de ses vêtements.

— *Allons enfants !* dit Ananie en se détournant et en se mettant en marche.

Ils le suivirent.

Tu m'interromps

Je viens de vous lire la première partie du livre. Vous m'avez écoutée. Toi sur le canapé, pelotonnée comme un chat roulé en boule. Les yeux à demi fermés.

Ensuite, nous discutons encore longtemps, tous ensemble.

Des hommes. De leur capacité à évoluer. De leurs tréfonds.

Tu as l'air détendue en ce moment. La tension de ces derniers jours semble être retombée.

Je tente de vous expliquer ce qui me pousse à écrire ce livre.

Et tu m'interromps :

— Je repense à une histoire, je crois que je te l'ai déjà racontée...

De bonne grâce, je mords à l'hameçon :

— Quelle histoire ?

— Celle de Dieu, de la Mort, du Diable et de la vieille femme.

— Non, je ne la connais pas. Je veux l'entendre. Absolument. Mais pas maintenant, je suis bien trop fatiguée. Tu me la raconteras demain, d'accord ?

— Demain, je l'aurai sûrement oubliée, dis-tu avec ton sourire.

J'hésite. Il est déjà tard. Mais tous les visages sont tournés vers toi.

Je cède :

— Très bien.

Et tu racontes.

Dieu, la Mort et le Diable étaient frères et sœur. Ils se querellaient pour savoir qui devait devenir le maître de la Terre, sans parvenir à s'entendre. Ils décidèrent alors de trancher la question autrement. Par une course jusqu'à la Terre. Elle appartiendrait au vainqueur.

Ils arrivèrent en même temps.

La Mort aperçut une vieille paysanne, qui habitait sur Terre depuis bien des années déjà. Elle entra dans son corps et en prit possession.

Dieu et le Diable, qui s'évertuaient à saisir toute la Terre à bras-le-corps, n'en reçurent que la moitié chacun. Aujourd'hui, ils continuent de lutter pour en avoir la totalité.

Et seule la Mort prend, de façon incontestable, ce qui lui revient.

Le centre communal de Birenga était situé à une petite heure de là, dans une minuscule localité au bord de la ville de Kibungo. Dans une vallée, entre deux collines.

Outre les bâtiments administratifs, il n'y avait que quelques maisons, nichées dans les champs et les bananeraies. Le bourgmestre* aussi y habitait.

Ils avançaient lentement, car le sentier serpentant entre plantations de caféiers et champs de légumes, jusqu'à la route principale, avait été détrempé par les torrents de pluie et déformé par de nombreux passages. Ils devaient enjamber des flaques, et parfois le sol menaçait de se dérober. Sous le poids des bagages et des couches de vêtements qui les entravaient, ils avaient du mal à garder l'équilibre.

Jeanne transpirait. Elle sentait la sueur envahir son dos et son front. De la boue collait aux minces semelles de ses sandales.

Devant, derrière, d'autres marchaient, chargés comme eux de tout ce qu'ils pouvaient porter. Serrés dans leurs vêtements, leur peur et leur silence.

En chemin, ils s'étaient arrêtés une nouvelle fois au terrain de sport. Mais après qu'Ananie y eut parlé avec quelques hommes, il avait pressé sa famille de repartir.

Lorsqu'ils atteignirent Birenga, la petite place devant les bâtiments était déjà comble.

Jeanne aperçut tante Pascasia, Saphina et Lionson. Claire, l'aînée de tante Pascasia, n'était pas avec eux. Jeanne connaissait de vue quelques-unes des familles qui s'étaient rassemblées là avec tous leurs bagages.

Les femmes attendaient patiemment avec les enfants, tandis que leurs maris parlaient entre eux. Deux policiers s'étaient postés un peu en retrait. Jambes écartées, les bras croisés sur la poitrine, ils se tenaient là et observaient les allées et venues, impassibles. Mais Jeanne sentait qu'ils enregistraient attentivement tous les nouveaux arrivants.

Ananie discuta un moment avec les autres hommes, puis il fit signe à Florence et aux enfants de le suivre. Il se dirigea d'un pas décidé vers la petite maison du bourgmestre, en retrait derrière d'autres, à quelques centaines de mètres seulement de la mairie.

Ils trouvèrent le magistrat devant sa porte, faisant les cent pas en col et cravate, comme s'il s'était préparé pour une cérémonie. C'était un homme grand et rondouillard, qui portait fièrement en avant son ventre énorme. Il alla à leur rencontre comme à l'accoutumée, avec un large sourire d'accueil sur son visage rond et luisant, et un bonjour jovial et nasillard, qui lui vint aux lèvres avec facilité. On aurait juré que c'était un jour comme les autres.

Sans hésiter, Ananie et Florence s'avancèrent vers lui.

— *Bonjour*, Innocent ! dit Ananie au bourgmestre.

Il le connaissait bien et n'éprouvait donc aucune crainte à l'aborder franchement. Les enfants restèrent quelques pas en arrière. Tandis que les adultes se saluaient et échangeaient des amabilités, Jeanne observait, comme lors des rencontres précédentes, la curieuse tache gris clair entre les cheveux de jais du bourgmestre. Elle s'y détachait comme si quelqu'un l'avait appliquée au pinceau.

Ananie s'inquiétait de ce que sa famille et lui devaient faire, compte tenu des événements, mais Jeanne n'écoutait déjà plus. Elle s'était tournée vers la rue, où il y avait beaucoup à observer. De nouveaux réfugiés arrivaient sans cesse avec leurs bagages, visiblement résolus à rester. Elle cherchait des visages connus et se demandait où autant de personnes pourraient bien trouver un abri.

À la fin de la discussion, le bourgmestre, souriant, fit un signe de la main aux enfants avant de partir.

— *Alors*, nous pouvons rester, dit Ananie.

Mais il semblait peu soulagé.

— La salle des fêtes et quelques autres pièces ont été libérées pour que nous puissions y dormir. Je retourne rapidement à la maison chercher des couvertures.

— Non, c'est bien trop dangereux ! tenta de le dissuader Florence. N'as-tu pas entendu ce qu'Innocent a dit ? Nous ne devons plus quitter le centre communal !

— *Oui, je sais*, répliqua Ananie. Seulement quelques couvertures. Nous en avons besoin. Je me dépêche.

En effet, il ne resta pas absent longtemps. Après moins d'une demi-heure, il réapparut sur l'esplanade, sans couverture. Hors d'haleine, l'air hagard.

— Notre maison..., commença-t-il.

Il s'arrêta net sous le regard désespéré de Florence.

Elle l'entoura de ses bras. Et, comme il ne semblait pas vouloir poursuivre, elle lui demanda, d'une voix étrangement indifférente :

— Qu'est-ce qu'elle a, notre maison ?

— Je ne suis pas allé jusque-là, répondit-il. Au terrain de sport, Ndayambaje est venu vers moi. Il m'a crié de fuir... Ils étaient là... Ils me cherchent... depuis hier déjà... Ils ont réduit notre maison en miettes... Ils l'ont pillée... Je ne pouvais pas y croire... et puis je l'ai vue de loin... au-dessus des arbres... Plus rien... il n'y avait plus de toit !

Tout se mit à tourner en Jeanne. La voix de son père venait de loin, mais ses mots se fichèrent en elle tels de minuscules éclats de bois. À travers un voile, elle vit le visage de Florence se crisper douloureusement, comme si elle venait de recevoir un coup. Jando baissa les épaules, et Teya éclata en sanglots. Florence lui caressa la tête d'un geste absent, comme dépourvu de sens. Les hoquets cessèrent.

Jeanne était tellement remplie de peur qu'elle n'était plus capable de bouger. Les pensées se bousculaient dans sa tête.

Le toit... Où était passé le toit ? Qui avait fait ça ?... Le joli toit de tuiles rouges... On pouvait le voir de loin, quand on rentrait à la maison... Est-ce qu'il y avait la guerre ?... La guerre dont son père lui avait dit qu'elle serait bientôt chez eux ?... Plus de toit, c'était impossible... c'était la saison des pluies... Il fallait des soldats pour faire la guerre... Alors, où étaient-ils ?... Elle n'avait vu que ceux qui avaient toujours été là... À la prochaine pluie, son lit serait complètement mouillé... le matelas... tout... Qui pouvait bien vouloir s'en prendre à son père ?... Il n'avait même pas d'arme...

Depuis le matin où l'affreuse musique à la radio avait annoncé l'événement funeste, quelque chose se rapprochait d'eux, qui était bien pire que la guerre. Et elle pressentait que nul ne pourrait s'y opposer.

Ananie se pencha vers Teya. Elle pleurait toujours, mais sans bruit.

— *Doucement, ma petite*, ne pleure pas ! murmura-t-il.

Puis il releva la tête. Il regarda Florence et se raccrocha à son regard :

— Nous allons voir où trouver de la place.

Les jours qui suivirent, le temps perdit toute mesure. L'ordre des choses, en proie à la déroute, semblait livré au bon vouloir de chacun. Pas de consigne des adultes. Pas de remontrance. Pendant des heures, Jeanne ne voyait ses parents ou ses frère et sœur que de loin. Les familles n'étaient plus réunies et se perdaient dans une foule où chacun était là pour tous. Jeanne s'en accommodait. Avec ses parents, Jando et Teya, elle avait partagé une autre vie. Et la rupture était plus supportable si on ne se rappelait pas constamment le temps d'avant.

— C'est pour votre protection ! avait expliqué le bourgmestre, lorsqu'il avait donné l'ordre de ne plus quitter le centre communal.

En peu de temps, un camp de fortune fut établi sous la surveillance de l'armée. À l'aide de matelas et de couvertures, les hommes installèrent des dortoirs sommaires. On dormait là où l'on pouvait, ou quand on pouvait, aux moments les plus divers. Car il n'y avait pas assez de place pour tous. Enfants, personnes âgées, femmes avec bébé ou enceintes étaient prioritaires. Certains adultes ne fermaient apparemment jamais les yeux.

On leur fournit également des sacs de farine, de maïs, de riz, de millet, de sucre et de sel. Et des gamelles.

Plusieurs cercles formés de pierres empilées, au centre desquels un feu brûlait en permanence, apparurent sur l'esplanade. Les femmes y confectionnaient une bouillie ou une pâte de farine et de millet, toutes deux sans goût. De temps à autre, certains arrivaient à se procurer clandestinement des tomates ou des légumes, auprès de riverains dont ils avaient été les voisins. Les femmes préparaient alors une sauce qui rendait l'ensemble un peu plus mangeable.

Quand on avait faim, on avait droit à un repas léger. Jeanne, elle, ne sentait généralement pas la faim et mangeait à peine. Malgré tout, elle restait souvent à proximité des feux. Il s'y passait quelque chose, au moins. Et, de temps en temps, quand le travail leur faisait oublier cet endroit, les femmes allaient jusqu'à échanger des mots qui avaient presque les accents du quotidien.

Au bord d'un bois d'eucalyptus voisin, les jeunes rassemblaient des brindilles, des branches et des bûches pour le feu. Jando et les filles de tante Pascasia, Claire et Saphina, en faisaient partie. Jeanne aurait tant voulu être des leurs ! Ramasser le bois offrait en effet une distraction bienvenue et donnait la possibilité de s'éloigner un peu. Mais on ne lui permettait pas de les aider, car c'était trop dangereux. À son grand dépit, on la comptait encore parmi les petits.

En journée, c'était à peine s'il pleuvait. Cela facilitait le séjour dans le centre communal, car on pouvait rester dehors la plupart du temps. Jeanne se demandait parfois comment ses parents pouvaient supporter de rester jour et nuit avec autant de gens dans un espace aussi restreint. Son père aimait la solitude. Et sa mère, dans sa crainte démesurée de la saleté et de la maladie, devait souffrir le martyre.

Pour se doucher, les adultes allaient chez Dativa, une femme seule qui avait la gentillesse de mettre sa salle de bains à leur disposition. Les enfants et les jeunes, eux, devaient se laver sur un chantier, dans une maison sans portes ni fenêtres. Munis d'une bassine ou d'un seau d'eau, ils disparaissaient derrière un des murs et s'efforçaient de se nettoyer du mieux qu'ils pouvaient. Ils étaient souvent interrompus. Au début, Jeanne avait trouvé cela gênant, mais après plusieurs fois, cela ne l'avait plus dérangée. D'ailleurs, elle s'habituait à beaucoup de choses. Au partage du dortoir avec des étrangers, et même aux longues files d'attente devant les cabinets des riverains. Lorsqu'on avait une envie pressante, on courait de l'une à l'autre. Dans l'espoir que cela aille plus vite ailleurs. Ou qu'on vous laisse passer devant, ce qui était parfois le cas.

Les habitants n'admettaient qu'à contrecœur que leurs toilettes soient prises d'assaut. Ils ne s'en cachaient pas, mais il ne leur restait pas d'autre choix que de l'accepter. On ne pouvait rien refuser à celui qui vous demandait quelque chose : telle était la coutume.

Jeanne, déjà habillée pour la nuit mais parfaitement réveillée, était assise sur le matelas qu'on avait attribué à Teya, Jando et elle. La robe d'été fleurie qu'elle portait lui servait désormais de chemise de nuit. Elle aurait tout aussi bien pu se mettre au lit avec les vêtements de la journée, car plus personne ne vérifiait si elle se changeait bien le soir. Elle le faisait malgré tout, par habitude. Teya, couchée jambes repliées à côté d'elle, dormait déjà profondément. L'hideuse couverture militaire grise avait glissé au bout du matelas. Jeanne regarda avec dégoût le tas de tissu rugueux. Elle non plus ne se couvrirait pas avec. Elle avait beaucoup trop chaud, de toute façon.

Jando se trouvait avec quelques jeunes au fond du grand bureau qui, bondé et bourré de bagages, ne présentait plus aucun des attributs de sa destination initiale. Jeanne, Teya et lui étaient rentrés dans le bâtiment à la tombée du jour. Jeanne aurait été incapable de dire combien de temps s'était écoulé depuis. Elle attendait.

Elle ne pouvait dormir que lorsqu'elle tombait de fatigue. Les néons accrochés au plafond blanchi à la chaux diffusaient une lumière blafarde qui rendait grisâtres les visages alentour. Les lampes restaient allumées toute la nuit, afin que chacun puisse s'y retrouver à tout moment. Les retardataires devaient passer par-dessus les dormeurs pour accéder à leur place. Les petits enfants passaient de l'un à l'autre à bout de bras.

Les rideaux tirés devant les fenêtres ouvertes et tombant jusqu'au sol ne laissaient pas entrer suffisamment d'air frais dans la salle surchauffée et sentant le renfermé. Mais ils empêchaient aussi les nuées de moustiques d'envahir la pièce. Quelques-uns se faufilaient néanmoins entre les deux pans du rideau, cernant de leur rengaine agressive les têtes des dormeurs. Lorsqu'ils s'approchaient, leur bourdonnement couvrait le murmure des voix. Tout comme les petits coups de tambour des gouttes de pluie contre le toit.

La porte donnant sur le couloir s'ouvrit et se referma. Jeanne tendit l'oreille aux mots chuchotés dans son dos. À quelques mètres d'elle seulement, quelques jeunes filles s'étaient réunies et se plaignaient, rapprochant leurs têtes :

— Je n'en peux plus. Si seulement je pouvais prendre une vraie douche...

— Je n'ai pas emporté assez d'habits. Plus rien n'est propre. Et on ne peut pas non plus les laver...

— Ce que j'aimerais aller chercher quelques affaires à la maison...

Jeanne attendait.

Elle attendait les soldats, qui venaient chaque soir.

Elle n'aurait pas pu déterminer le moment précis de leur arrivée. Mais une chose était sûre : ils venaient. Au moins deux. Parfois trois. Quand ils ouvraient violemment la porte et qu'ils se campaient dans l'ouverture, tout le monde se regroupait dans la pièce. Les murmures s'éteignaient. Les têtes se baissaient. Ou se tournaient vers l'encadrement de la porte.

Jeanne n'aurait pas davantage pu dire s'il s'agissait toujours des mêmes soldats. Certes, ils se différenciaient par la voix, ainsi que par la nuance de leur couleur de peau. Mais ce qui frappait dans leur apparence, c'étaient l'uniforme de combat tacheté, le calot rouge en forme de petit bateau, posé de biais sur la tête ou enfoncé bien bas sur le front, la longue matraque balançant au poignet, au bout d'une lanière en cuir, les bottes solides dont le bout pouvait frapper sans crier gare, et enfin les grenades, pendant négligemment à la ceinture comme d'inoffensives cloches de vaches. Oui, elle retenait leur uniforme, mais pas leur visage.

Jeanne les attendait avec un mélange de crainte et d'impatience. Qu'allaient-ils faire, cette fois ? Parfois, ils étaient visiblement à cran et cherchaient à répandre la peur. Alors, ils battaient sans raison quiconque se trouvait près de l'entrée et ne pouvait reculer devant eux.

— Retire-toi de mon chemin !

— Qu'est-ce que t'as à me regarder bêtement comme ça ?

Parfois, ils cherchaient à avancer dans la salle bondée.

— Poussez-vous !

Leurs bottes s'enfonçaient dans un corps couché à leurs pieds. Mais Jeanne ne croyait pas que les soldats voulaient vraiment entrer. Ils cherchaient juste un prétexte pour faire mal à quelqu'un et montrer leur supériorité.

Ils importunaient presque à chaque fois les jeunes filles. Madeleine en particulier, qui était une vraie beauté.

— Eh, toi là-bas ! Comment tu t'appelles ? Je te connais ! On ne se serait pas vus au barrage de Butare ?

Ils braillaient à travers la pièce. Jusqu'au coin le plus reculé du bureau, où Madeleine se terrait anxieusement chaque soir depuis le premier incident de ce genre.

— Eh, viens par là ! Tu peux partir avec moi. Je veux t'épouser.

Geste insistant de la main. Rires des compères.

— Allez, viens ! Qu'est-ce que tu fais encore ici, alors que tu peux devenir ma femme sur-le-champ !

Leur comportement indécent, devant tout le monde, révoltait Jeanne. On ne faisait pas une chose pareille ! Il fallait d'abord demander au père, voyons ! Et lui donner une dot pour la future mariée. Par exemple des vaches, une terre, ou encore de l'argent. Et puis un mariage, ça se préparait ! C'était une affaire de famille. Tous les parents et les amis devaient être présents lorsqu'on amenait la fiancée à son futur époux.

Jeanne avait participé un jour à un mariage chez des voisins et amis. Elle s'en souvenait bien encore.

Germain, le fiancé, attendait sa future femme, Espérance, dans la cour de ses parents, au milieu d'une nombreuse compagnie. Espérance, en longue robe de dentelle blanche, à demi cachée sous un voile blanc tombant jusqu'au sol, avait été conduite auprès de Germain par deux femmes âgées et un cortège de jeunes filles en habits de fête. La cérémonie avait profondément impressionné Jeanne, tout en la troublant. Car Espérance avait pleuré abondamment, et les jeunes filles qui l'accompagnaient étaient elles aussi très tristes, visiblement, puisque certaines s'étaient lamentées à grand bruit.

— Je ne me marierai jamais, avait déclaré plus tard Jeanne à sa grand-mère, après que Nyogokuru eut raconté à ses petits-enfants comment, naguère, mari et femme étaient destinés l'un à l'autre dès la plus tendre enfance.

La vieille femme l'avait regardée, surprise :

— Pourquoi ne veux-tu pas te marier ?

— Quand on se marie, on doit quitter sa maison et on pleure énormément.

Nyogokuru avait souri.

— Une mariée qui ne pleure pas n'est pas une mariée heureuse, avait-elle répondu de façon énigmatique. Mais vous ne comprendrez cela que quand vous serez plus âgés.

Jeanne était toujours fermement décidée à ne jamais se marier. Et le spectacle auquel elle assistait à Birenga la confortait dans sa résolution. Elle se demandait pourquoi les soldats s'en prenaient aux jolies jeunes filles et pourquoi ils les apostrophaïent tous les soirs, alors qu'ils n'obtenaient jamais de réponse.

La porte s'ouvrit violemment.

Cette fois, ils étaient deux. Matraques levées, ils s'appuyèrent contre l'encadrement de la porte et scrutèrent la salle. Un jeune homme en civil se pressa à leur côté et tenta d'entrer dans la pièce. Il regarda aussi autour de lui, puis ses yeux s'arrêtèrent sur un petit groupe non loin de la porte. Suzanne, ses deux frères et quelques autres jeunes s'y trouvaient.

Jeanne vit Suzanne sursauter. Elle la connaissait de vue, car elle aussi avait été l'élève de son père.

Le jeune homme tenta de se rapprocher du groupe, mais personne ne fit mine de bouger.

— Suzanne, viens ! Je te cherchais ! appela-t-il alors.

Elle lui jeta un bref regard et baissa la tête.

— Que viens-tu faire ici, Gaspard ? demanda l'aîné des frères en élevant la voix.

Mais il n'avait pas l'air hostile.

— Je veux l'emmener avec moi. Elle ne peut pas rester ici, ce n'est pas un endroit pour elle, répondit Gaspard.

— Mais nous aussi, nous sommes ici, lui retourna le frère de Suzanne, calme et déterminé.

— Laissez-la venir avec moi ! Je vous en prie ! Vous savez bien que notre mariage devait avoir lieu dans une semaine.

— Tu devras attendre que tout ça soit fini.

Jeanne crut voir le visage de Gaspard se contracter. Elle aurait été incapable d'interpréter son expression.

Il fit une nouvelle tentative :

— Nous sommes fiancés. Je l'emmène chez mes parents. Elle pourra y rester jusqu'au mariage.

Le frère de Suzanne secoua la tête d'un air catégorique :

— Notre sœur reste avec nous ! Nous ne la laisserons pas partir avec toi avant le mariage.

— Suzanne, s'il te plaît, suis-moi dehors ! Il faut que je te parle ! insista Gaspard.

Suzanne regarda son frère d'un air interrogateur. Celui-ci finit par hocher la tête. Alors, elle se détacha du groupe et se mit à progresser lentement vers la sortie. Contrairement à ce qui s'était passé avec son fiancé, on se poussa aussitôt pour la laisser le rejoindre.

Gaspard l'accueillit avec un soulagement visible et la fit passer devant lui. Tous deux sortirent. Les soldats, qui étaient restés postés de chaque côté de la porte et avaient suivi attentivement l'échange, leur emboîtèrent le pas. Jeanne ne put résister à l'envie soudaine de quitter son lit et de se faufiler dans le couloir.

Il y avait là une table, sur laquelle des bouteilles Thermos de thé et de bouillie d'*amasaka,* ainsi que des cruches d'eau, étaient mises à leur disposition. En principe, les enfants ne devaient plus rien prendre tard le soir car, la nuit, il était quasiment impossible d'aller aux toilettes. Ce soir-là, la soif servait d'excuse à Jeanne.

Elle se versa un gobelet d'eau, commença à boire lentement et balaya prudemment le long couloir, du coin de l'œil. Contre les murs, entre des portes ouvertes menant à d'autres bureaux, des hommes et des femmes étaient assis sur des chaises ou à même le sol. Ils s'étaient réfugiés dans le bâtiment lorsque la pluie s'était mise à tomber. Jeanne savait qu'il s'en entassait tout autant dehors, sous l'auvent de la véranda qui n'offrait qu'une maigre protection contre les fortes averses.

Au bout du couloir, elle découvrit Suzanne et son fiancé. Et les soldats, non loin d'eux. Gaspard tenait les bras de Suzanne et tentait de la convaincre. Muette, la tête haute, elle écoutait. Son maintien était étrangement raide. De temps en temps, elle secouait la tête, ce qui semblait inciter chaque fois Gaspard à s'échauffer encore davantage. Il finit par s'emporter et essaya de l'entraîner dehors avec lui.

Elle se libéra d'une secousse et lui tourna le dos. Elle s'éloigna dans le couloir d'un pas précipité, sans même se retourner une seule fois. Gaspard, bras ballants, resta sans bouger et la regarda s'en aller.

Lorsque Suzanne arriva au niveau de Jeanne, à côté de la table aux boissons, elle se cacha la figure dans les mains et se mit à pleurer.

« *Une mariée en pleurs* », songea spontanément Jeanne.

Mais elle ne pouvait pas croire que c'était signe de bonheur.

Elle le sentait clairement : le bonheur était aussi éloigné de ces lieux, de ce moment, que le ciel de la terre.

« Tu te bats contre Maman ! » dit Massamba

C'est notre professeur de tam-tam, originaire du Sénégal. Il vient chez nous deux fois par mois, et nous faisons trembler la maison. Nos voisins ferment gentiment leurs fenêtres.

Je suis la tache blanche de notre cercle. Mais, portée par le timbre des tambours, je deviens une partie de vous tous, une partie de l'Afrique. Au début, j'avais des difficultés à entrer dans ce rythme étranger. Maintenant, il a gagné mon ventre, et mes battements font mouche.

Une fois qu'on arrive à distinguer le jeu changeant des sons, une fois qu'on commence à comprendre le langage des tambours, on plonge dans un monde en dehors des frontières établies. On réalise que chaque voix est l'élément important d'un tout. Qu'elle y disparaît, tout en restant perceptible isolément. Et qu'elle trouve son sens en parlant avec les autres. Au-delà du temps et de l'espace. Dans les mouvements circulaires de la vie.

Nous accompagnons un mariage. Nous sommes à la pêche, jetons nos filets. Nous accueillons un hôte de marque.

La voix de l'Afrique.

Massamba l'invite chez nous en peu de mots. Avec ses mains. Avec son rire. Avec son âme, qui emplit la pièce.

Il dit que tu dois maintenant te battre contre moi.

Nous nous regardons et rions. Allons-nous y arriver, cette fois ? Allons-nous réussir à nous défaire de notre harmonie ? À administrer coups pour coups, en les différant d'une fraction de seconde afin qu'ils s'affrontent ?

Comme toujours, nous ne tenons pas longtemps. Nos battements se rapprochent, jusqu'à ce qu'ils se couvrent de nouveau. L'harmonie, c'est la sécurité.

Massamba a un sourire moqueur :

— Ou... i. C'est difficile !

Pourtant, nous sommes parfaitement capables de lutter l'une contre l'autre. Toi et moi.

Sans tambours.

Tu peux parfois te transformer en une vraie peste. Tu grondes. Tu tempêtes, des larmes de colère dans les yeux. Et, dans ces moments-là, je peux me montrer dure. Résister. Te faire sentir ma force, pour que tu aies à te battre contre moi.

Tu réponds sans hésiter.

Je suis si heureuse que nous puissions oser la proximité qu'exige un combat. Sans nous blesser sérieusement.

Depuis que tu t'opposes si ouvertement à moi, je suis sûre que tu as recouvré ta force et que tu es tout à fait chez toi.

En se réveillant, Jeanne trouva le matelas vide, à côté d'elle.

Elle s'habilla rapidement et sortit du bureau. Il avait cessé de pleuvoir, mais le ciel était encore couvert de nuages, et de nombreuses flaques d'eau parsemaient l'esplanade.

Près d'un des feux, elle aperçut tante Pascasia et Claire. Elle se dirigea vers elles sans hâte.

Claire remuait le contenu d'une grosse marmite en fer-blanc.

— Bonjour, tante ! dit Jeanne.

— Bonjour, Dédé ! Tu veux de l'*igikoma** ?

— Juste un peu. Je n'ai pas très faim.

Tante Pascasia retira le récipient du feu, tendit un gobelet à Jeanne et le remplit. Un peu de la bouillie d'*amasaka* coula à côté.

Jeanne s'assit sur une pierre et commença à lécher la boisson chaude.

— Je peux avoir plus de sucre ? demanda-t-elle.

Sa tante répondit par la négative.

Jeanne mit son gobelet de côté.

Elle observa le bois d'eucalyptus, où plusieurs hommes creusaient deux énormes trous à l'aide de bêches et de haches. Certains y étaient descendus et en dégageaient des pelletées de terre. On ne voyait plus que leurs têtes. De grosses mottes volaient et retombaient lourdement entre les arbustes. Les hommes s'étaient mis au travail dès la veille, l'après-midi. Jeanne, Claudine et Saphina s'étaient approchées, curieuses, mais on les avait renvoyées.

— Mais qu'est-ce qu'ils creusent, au fait ? s'enquit Jeanne.

Tante Pascasia et Claire échangèrent un regard. Pascasia semblait irritée, et Jeanne craignait déjà qu'elle ne lève la main pour lui donner une tape.

— Ce seront nos toilettes, finit-elle par répondre.

À la voir, on comprenait combien cette idée lui répugnait.

— Quelques personnes sont tombées malades, et nous n'avons plus le droit d'utiliser les cabinets. Il paraît que c'est pour notre bien.

Ces derniers mots étaient chargés d'amertume.

Jeanne prit peur. Personne ne pouvait exiger ça d'elle ! L'obliger à s'accroupir au-dessus d'un de ces énormes trous. Là où tout le monde pourrait la voir. Non ! Elle n'irait plus au petit coin, voilà tout. Mais, comme par magie, elle sentait justement une forte pression s'exercer sur sa vessie. Dieu merci ! les trous n'étaient pas encore achevés. Abandonnant son gobelet à moitié plein, elle courut se placer au bout d'une des files d'attente, qui n'existeraient bientôt plus.

Lorsqu'elle revint, Saphina et Claudine se trouvaient sur l'esplanade. Armée d'un bâton, Claudine dessinait une marelle sur le sol boueux.

— Je joue avec vous ! leur cria Jeanne, et les toilettes étaient oubliées.

Le jeu monopolisait maintenant toute son attention. Elle avait du mal à surpasser ses deux adversaires. Elle luttait pour conserver l'équilibre, mais échouait toujours lorsqu'elle sautait et atterrissait sur le pied gauche, qui ne lui offrait pas un appui solide. Elle ne voulait en aucun cas glisser et tomber dans la boue : elle n'avait presque plus de vêtements propres. Elle préférait donc marcher sur une des lignes et perdre.

Un peu plus tard, lorsqu'un convoi de véhicules s'approcha bruyamment, les fillettes interrompirent leur jeu.

C'étaient quatre camionnettes.

Moteur emballé, elles firent plusieurs allées et venues, laissant de profondes traces de pneus dans le sol détrempé. De jeunes hommes, assis ou debout, s'entassaient à l'arrière. Des enragés armés de fusils, de grenades, de machettes et de haches. Crânes et visages camouflés sous d'épais casques d'herbe et de feuilles, ils beuglaient une chanson tout en tambourinant sur les côtés du véhicule. Puis poussaient un hurlement strident en frappant légèrement leurs lèvres du plat de la main. En même temps, de la bière de banane circulait ; ils s'en envoyaient de pleines lampées et entrechoquaient les bouteilles, comme s'il y avait quelque chose à fêter. Sur chacun des pick-up se trouvait un mégaphone. Ils chantaient à tue-tête :

« Muze tubatsemba tsembe
muze tubamene ibitwe
muze twishyirehamwe.
interahamwe turaganje.
interahamwe twaratsinze ! »

« Allez, on va tous les exterminer,
allez, on va leur couper la tête,
allez, on va s'associer.
Nous, les interahamwe, *on s'est propagés.*
Nous, les interahamwe, *on a gagné ! »*

Jeanne avait déjà vu plusieurs convois comme celui-ci. Plus souvent, les derniers mois. Mais elle n'avait jamais prêté réellement attention aux paroles précises de la chanson. Souvent accompagnées d'un air de musique enlevé passant à la radio, elles étaient amplifiées par les porte-voix et retentissaient au loin. À ces occasions, il arrivait que l'école renvoie les enfants chez eux plus tôt.

Presque aussitôt, les véhicules tournèrent, roulèrent droit vers le bois d'eucalyptus et freinèrent juste devant les trous, où les hommes s'étaient arrêtés de creuser. L'eau des flaques gicla de tous côtés.

— Ne vous dérangez pas pour nous ! tonitrua une

voix dans un des mégaphones. Vous savez ce que vous êtes en train de faire ? Je parie que non !

Rires. Rugissements.

— On va vous le dire. Les trous, là, ils sont pour vous ! Creusez bien profond, pour tenir tous dedans !

De nouveau des rires. Un concert de klaxons. Entre deux, des coups de sifflet à roulette retentirent. Et, tandis qu'ils reculaient lentement, ils entonnèrent de nouveau leur chanson.

— On reviendra ! Demain, il y aura un cimetière, ici !

C'est sur ce cri, résonnant à travers l'esplanade, qu'ils s'éloignèrent.

Leur courte apparition avait tout paralysé. Les réfugiés restaient immobiles, comme inanimés. Et longtemps après le départ des *interahamwe*, cet état persista.

Jeanne, Claudine et Saphina, elles, reprirent leur jeu de marelle, comme si rien ne s'était passé. Elles jouèrent jusqu'à midi et en oublièrent même de manger.

Jeanne rentra lorsqu'une pluie fine se mit à tomber. Après les événements de la nuit avec Suzanne, elle était restée éveillée très longtemps, et elle se sentait soudain bizarrement fatiguée. En dépit de l'agitation qui l'entourait, elle s'endormit rapidement.

Jusqu'à ce que des cris, au-dehors, la réveillent. Elle constata avec surprise que la pièce était presque vide.

Et les rares personnes qui s'y trouvaient encore semblaient sur le point de partir. Elle bondit sur ses pieds et traversa le couloir en courant, jusqu'à la porte de sortie, où elle se retrouva face à face avec Florence.

— Ah, te voilà, Dédé ! On te cherchait, justement. Le bourgmestre a convoqué une assemblée. Toutes les familles doivent venir. Même les enfants.

Elle scruta Jeanne :

— Pourquoi ne t'es-tu pas encore douchée ?

Jeanne fit la moue. Elle n'avait aucune envie d'aller à une réunion. Qu'est-ce que les enfants avaient à y faire ?

— Je n'ai plus de sous-vêtements propres ! expliqua-t-elle.

Florence poussa un soupir exaspéré.

— Alors, prends le moins sale que tu aies ! proposa-t-elle. Je n'y peux rien, moi. Et maintenant, va te laver ! Et dépêche-toi ! Tu n'auras qu'à venir chercher de l'eau chaude près du feu.

Jeanne fit demi-tour, retourna en courant dans le dortoir, prit une robe pour se changer, du savon et une serviette. Elle renonça à la culotte.

Florence l'attendait déjà ; elle lui mit d'autorité dans les mains un seau d'eau chaude rempli à ras bord.

— Active-toi, tu m'entends ! l'exhorta-t-elle une nouvelle fois.

Jeanne disparut dans le local de toilette, se déshabilla et commença à se savonner de la tête aux pieds en prenant tout son temps. Peut-être échapperait-elle ainsi malgré tout à l'ennuyeuse réunion.

Dehors, le tapage augmentait en intensité. Jeanne entendit une auto passer et, juste après, des voix s'élevèrent sur le ton du commandement :

— Allez !

— Bougez-vous !

— Venez tous ici ! Les enfants aussi !

La porte s'ouvrit et Saphina s'engouffra dans la cabine :

— Qu'est-ce que tu fabriques encore ici, Dédé ? Rhabille-toi vite et sors tout de suite !

Jeanne regarda fixement son ventre couvert de savon.

Saphina s'empara du seau avec un grognement et versa une cascade d'eau sur les épaules de Jeanne.

— Et maintenant, presse-toi de te rincer ! Je vais t'aider.

Ensemble, elles s'efforcèrent de débarrasser la peau de sa couche de savon claire et poisseuse. Elles ne furent pas particulièrement regardantes car, entre-temps, Jeanne s'était laissée gagner par la nervosité de Saphina. Elle enfila ses vêtements sans se sécher. Elle n'avait plus le temps de s'enduire de crème.

Peu après que les fillettes eurent quitté le local, une foule tumultueuse les fit se perdre de vue. Les réfugiés affluaient de tous côtés.

La voiture du bourgmestre était garée devant le bâtiment dans lequel se trouvait la salle des fêtes. C'était une camionnette flambant neuve. Le chrome bleu foncé, étincelant de propreté, brillait sous le faisceau oblique des rayons de soleil qui traversaient les nuages gris.

Innocent était assis sur le siège passager, à côté de son chauffeur. Il regardait par la vitre fermée. Jeanne vit sa mère contourner l'automobile en se frayant un passage.

Jeanne voulut la rejoindre. Elle chercha à forcer la foule, sans parvenir à avancer, tant la mêlée était serrée. Elle avait déjà perdu Florence de vue.

Le bourgmestre leva les bras. Le brouhaha s'apaisa.

Mais au même moment, une femme proche de la voiture se mit à crier :

— Les *interahamwe* ! Ils sont là ! Derrière les maisons ! Ils vont nous tuer !

Le cri se multiplia. Près de l'auto, on se mit à s'agiter.

Innocent baissa sa vitre et passa la tête par l'ouverture. Il rétablit le calme à coups de sifflet.

— Il n'y a aucune raison de vous affoler ! cria-t-il dans un haut-parleur. Ils sont venus pour vous protéger !

Sur ces mots, il se retira de la portière, remonta rapidement la vitre et se laissa tomber sur son siège. Signe de tête. Le moteur démarra. Coups de klaxon insistants. Les réfugiés se rangèrent du mieux qu'ils purent et la voiture partit en trombe.

Là où la foule s'était écartée, des personnes étaient tombées et cette brèche, dégageant la vue, révéla soudain une troupe de soldats, comme surgis du néant.

Pointant le canon de leurs fusils, ils s'avancèrent, commençant à cerner la foule et à la diriger vers le bâtiment communal. Lorsque quelques réfugiés se baissèrent pour échapper à l'encerclement, les coups de feu se mirent à pleuvoir. Les personnes touchées tombèrent, et rares furent ceux qui tentèrent encore de s'enfuir. Seuls quelques-uns, en bordure, parvinrent à se sauver. Le cercle se resserrait de plus en plus, comprimant la foule, poussée pas après pas en direction de la porte ouverte et enfournée dans le bâtiment.

— Dedans ! Grouillez-vous, rentrez tous là-dedans !

Jeanne fut elle aussi emportée par le mouvement. Elle lutta contre le courant, resta un peu en arrière et dériva au bord de la masse humaine. Mais les soldats étaient juste dans son dos et il ne lui resta pas d'autre choix que de suivre les autres. Elle fut l'une des dernières à être poussée à l'intérieur.

Après que la porte d'entrée se fut refermée, Jeanne, saisie par une crainte indescriptible, resta où elle était sans bouger. Il lui était impossible d'avancer, car le bâtiment était bondé.

Une seule pensée l'occupait : « Il faut que je sorte de là ! Immédiatement ! Le bâtiment est en train de nous avaler. C'est un bâtiment qui dévore les hommes ! »

La porte s'ouvrit. Un soldat poussa une femme devant lui, le canon de son fusil braqué sur sa nuque.

Elle trébucha sur le seuil et s'y arrêta un moment, haletante et vacillante. L'homme hurla quelque chose et lui donna un coup de genou dans le dos. D'autres militaires apparurent près de lui, tenant des grenades. Dégoupillées. La femme fit un pas en avant.

Rapide comme l'éclair, Jeanne se laissa tomber à plat ventre et rampa à côté des bottes des soldats. Une fois dehors, elle se releva d'un bond et s'enfuit à toutes jambes, le long de la haie basse qui délimitait le chemin pavé passant devant les maisons et menant à l'esplanade. La voie était libre.

Au même instant, une énorme détonation sourde provoqua un déplacement d'air brutal qui lui parcourut les épaules et l'emplit d'effroi. D'autres explosions suivirent, à intervalles rapprochés. Entre deux, des coups de feu. Le bois éclatait. Le verre se brisait. Des cris.

Jeanne atteignit l'extrémité de la haie. Elle avait maintenant une vue d'ensemble sur l'esplanade. Une quantité innombrable de réfugiés étaient étendus par terre, en sang. D'autres fuyaient en zigzaguant vers le bâtiment, ou tentaient de s'échapper dans les proches buissons. Jusqu'à ce que des tirs les fassent tomber. Jusqu'à ce quelqu'un les arrête et les abatte sans autre forme de procès.

C'est alors qu'elle vit sa mère.

À quelques mètres de là seulement, Florence gisait aux pieds de quelques soldats et *interahamwe* qui la rouaient de coups. Les massues et les machettes s'abattaient sur son corps. Des pieds la cognaient. Encore et encore. Obéissant à une impulsion, Jeanne voulut tourner au coin de la haie et courir vers sa mère, mais un soldat s'avança vers elle et lui barra le chemin.

Jeanne se sauva.

Jetant un dernier regard en arrière, à bout de souffle, elle vit encore Florence lever la tête, comme si elle voulait se redresser. Les coups de massue suivirent son mouvement et ne ratèrent pas leur cible.

Jeanne se remit à courir. Contre la mort.

C'était une course sans cœur ni tête. Le moindre sentiment, la moindre pensée avaient été effacés. La petite place était un piège. Elle en vit d'autres s'enfuir sans but comme elle. À gauche et à droite. Et brusquement, elle aperçut son père, qui se précipitait derrière une maison et disparaissait derrière une autre. Ses jambes choisirent de s'élancer dans sa direction. Elles la portèrent, sans qu'elle sache ce qu'elle faisait.

— Teya ! Teya !

Le cri misérable d'une petite voix. Une petite main qui s'accrochait à elle. Jeanne s'arrêta et tomba à genoux.

— Teya, prends-moi ! Où est ma maman ?

Un sanglot. Des bras qui l'entouraient en la serrant étroitement. Elle avait du mal à respirer.

« Je ne suis pas Teya », pensa-t-elle, désespérée, sans le dire à voix haute.

— Ma maman !... Où est ma maman ? Teya, emmène-moi avec toi !

Les pleurs bruyants s'enfoncèrent dans sa conscience. Elle se releva.

C'était Alain qui la prenait pour Teya. Un petit garçon, trois ans tout au plus. Sa grand-mère était une collègue de Florence.

Alain s'agrippait à la robe de Jeanne.

— Viens avec moi ! Il faut partir d'ici, vite ! dit-elle.

Il arrêta de pleurer. Elle lui fit lâcher le tissu, et l'entraîna avec elle vers le mur derrière lequel elle avait vu disparaître son père.

Elle aperçut de nouveau Ananie et l'appela avant qu'il ne puisse trop s'éloigner. Il s'arrêta net, se retourna et courut vers elle.

— Dédé !

Il avait du mal à reprendre haleine.

— Viens, il faut aller plus loin !

Tenant Alain entre eux, ils se précipitèrent vers le bois d'eucalyptus, à couvert, derrière les maisons. Pourchassés par les bruits et les voix de la mort. Précédés et suivis par d'autres, qui fuyaient dans la même direction.

Ils plongèrent dans les broussailles, s'enfoncèrent dans le bois d'eucalyptus. Entre des silhouettes qui couraient. Et soudain, comme par enchantement, Jando se trouvait à côté d'eux. Les traits décomposés. De la sueur coulait sur son front. Il haletait, ne disait rien.

Lui aussi avait échappé au piège !

— Par là ! cria Ananie.

Il prit Alain dans ses bras, afin d'avancer plus vite.

Ils atteignirent la lisière du bois. Traversèrent à la hâte un chemin, pour disparaître dans la plantation de bananiers de l'autre côté.

Ils étaient entourés par la verdure. Eux et les autres qui erraient entre les longues feuilles. Mais ils étaient trop nombreux. Les mouvements violents avec lesquels ils écartaient les hautes plantes les trahissaient.

Et bientôt, les voix qui les traquaient les rattrapèrent. Des appels retentissaient des collines environnantes, dans toutes les directions. Les voix se donnaient des indications, suivies de coups de feu démontrant clairement leur volonté de mener à bien la tuerie.

— En voilà ! Ils descendent la colline, vers la route !

— Oui ! On les voit !

— Courez leur barrer le chemin ! Attrapez-les !

— Venez vite de l'autre côté ! Il faut les encercler !

Les cris les contraignaient à faire demi-tour.

Les fugitifs s'enfonçaient toujours plus profondément dans la bananeraie, où les plantes formaient un massif si serré qu'il devenait presque impossible d'avancer. Ils bataillèrent néanmoins pour continuer à progresser, s'éloignant mètre après mètre de leurs poursuivants invisibles, jusqu'à ce que les voix deviennent de plus en plus lointaines et les coups de feu à peine audibles. Étouffés par l'écran de verdure.

Les fuyards firent enfin halte.

Jeanne se tenait le côté. Une douleur aiguë lui coupait le souffle, ne laissant aucune place pour d'autres sentiments. Ananie, suffoquant, posa Alain par terre. Jando, le visage blême, s'adossa au tronc d'un bananier.

Ils étaient une vingtaine en tout. Incapables de faire plus que de reprendre leur souffle, ils donnaient l'impression d'avoir perdu connaissance. Ils restèrent ainsi pendant un moment, chacun replié sur soi-même. Un calme inattendu les enveloppait, seulement interrompu de temps en temps par des bruits d'épuisement.

Ce fut une femme qui parla la première :

— Qu'allons-nous faire ? Ils nous suivent à la trace et seront bientôt ici. Nous ne pouvons plus leur échapper. Nous sommes cernés.

— Je n'en peux plus. Je vais retourner au centre communal et me livrer. Nous n'avons aucune chance, dit une autre.

— Tu es folle ? Aller de ton plein gré à la mort ! Non, je n'abandonnerai pas aussi rapidement.

— Et où devons-nous aller ? Que crois-tu qu'ils feront quand ils nous trouveront ? Et ils nous trouveront, c'est sûr. Depuis les collines, ils ont vu où nous nous sommes enfuis. Ils sont déjà derrière nous et devant nous. Je ne veux pas mourir comme une bête. Je préfère rebrousser chemin et qu'on m'abatte. Au moins, ça ira vite.

— Tu penses peut-être qu'ils te feront ce plaisir ? Tu devras payer si tu veux mourir d'un coup de fusil.

— Oui, c'est vrai. Tout à l'heure, j'en ai vu un donner de l'argent pour être tué d'un coup de feu, dit quelqu'un.

Après ce témoignage, le silence régna pendant un moment.

— Je ne laisse pas tomber ! Je vais attendre qu'il fasse sombre, et j'essaierai d'aller chez Joseph. C'est mon ami. Il me cachera, lui, lança un jeune homme.

— Nous n'avons plus d'amis, murmura la femme qui avait ouvert la discussion.

— Et je n'ai plus d'argent non plus, ajouta l'un des fugitifs.

— On ferait mieux de tout mettre en commun et d'aller se livrer ensemble.

— Oui, tu as raison. Qu'est-ce qu'il nous reste d'autre ?

Effectivement, quelques-uns d'entre eux vidèrent leurs poches et réunirent leur argent.

— Non, je ne les laisserai pas me tuer ! insista le jeune homme. Joseph m'aidera.

Jeanne observait son père, qui avait suivi les échanges en silence. Qu'allait-il faire ?

Comme il ne bougeait pas, elle espéra qu'il avait un plan. Son point de côté ne la lançait plus aussi douloureusement, mais les pieds lui brûlaient terriblement. Et elle avait soif. Sa tête était vide.

— Bon, qu'est-ce qu'on attend ? Il ne faudra plus longtemps avant qu'ils soient ici !

Le groupe se mit en route. D'autres suivirent. Alors, Ananie fit signe aux enfants. La pause était finie.

En se rapprochant de l'endroit où ils s'étaient engouffrés dans la bananeraie, le groupe qui avait décidé de sa propre mort prit la direction du centre communal.

Les autres se dispersèrent.

Jeanne tenait fermement la main d'Alain et suivait son père, qui courait avec Jando parallèlement à la route principale. Traversant un bois et des petits champs, empruntant des sentiers détournés. Ils contournèrent ainsi le centre communal et arrivèrent à proximité de maisons situées très en retrait de la route, sur une colline. Apparemment, Ananie avait un but.

Après avoir franchi une côte, ils atteignirent une petite maison entourée de champs, la dernière d'un groupe d'habitations.

Un homme se tenait dehors, devant la porte. Des enfants jouaient dans la cour. En voyant approcher Ananie, Jeanne, Jando et Alain, l'homme envoya rapidement les enfants à l'intérieur.

Ananie leva la main pour le saluer. Jeanne se demanda si elle l'avait déjà rencontré quelque part. Mais elle ne se souvenait pas de lui. Il était plus petit et plus fragile que son père. Ses bras maigres et nerveux croisés devant la poitrine, il vint à leur rencontre. Ses cheveux grisonnants s'éclaircissaient au niveau du front, lui faisant comme une tonsure. Non, Jeanne en était sûre à présent. Elle ne le connaissait pas.

— *Bonjour*, Bernard ! fit Ananie lorsqu'ils se retrouvèrent face à face.

— Ananie ! s'exclama son interlocuteur. Comment avez-vous réussi à venir jusqu'ici ? Les bandes et la milice sont partout !

— *Je sais*. Peut-être pouvez-vous me conseiller. Me dire où aller.

— Vous ne devez en aucun cas retourner au centre communal. Vous n'y êtes plus en sécurité.

— *Je sais*, répéta Ananie, et il attendit.

— Je ne peux malheureusement pas vous cacher chez moi, Ananie. Je le ferais volontiers, mais ce serait trop dangereux. Nous sommes contrôlés sans arrêt.

Ananie le regarda dans les yeux.

— Avez-vous une autre proposition ? demanda-t-il.

— Peut-être les roseaux, là-haut ! suggéra Bernard en indiquant, bras tendu, le sommet de la colline. C'est une zone très dense et très isolée. On ne vous y trouvera peut-être pas. Pas cette nuit, en tout cas. Sinon, je ne sais pas. Je suis désolé.

Ananie hocha la tête.

— *Merci*, dit-il simplement. *Allons !*

— Plus tard, quand il fera sombre, je viendrai vous voir, promit Bernard.

Un autre signe de tête, et Ananie tourna les talons.

Les minces roseaux, pouvant atteindre trois mètres de hauteur, poussaient drus. Pour entrer dans le champ, il fallait écarter les tiges dures, ce qui traçait inévitablement une large coulée que n'importe qui pourrait suivre.

Alain trébucha plusieurs fois sur les cannes plantées de travers. Ses petites jambes avaient du mal à suivre, mais il tenait bon, courageusement. Depuis qu'il avait rencontré Jeanne, il n'avait plus pleuré. Jeanne, devant lui, se frayait un chemin à travers les graminées et essayait d'empêcher leurs bords coupants d'érafler la peau nue de ses bras.

Vers le milieu du champ, ils tombèrent sur une forme recroquevillée au sol et s'arrêtèrent. En regardant mieux, Jeanne reconnut le jeune homme qui voulait se cacher chez son ami Joseph. Il ne bougeait pas, mais un halètement prouvait qu'il vivait. Probablement avait-il couru à travers le champ depuis l'autre côté. Sa trace aussi trahirait la cachette à leurs poursuivants.

Cela n'avait plus aucun sens de continuer à avancer.

Ananie aplatit quelques roseaux et s'assit. Les enfants l'imitèrent. Alain s'allongea et posa la tête sur les jambes de Jeanne. Ses petits poings serrés, il ferma les yeux. Jeanne regarda son frère. Il semblait être très loin.

— Est-ce que l'un de vous a vu Florence ? demanda Ananie, après qu'ils eurent tous repris haleine.

Jeanne tressaillit. L'image des massues et des machettes tournoyant jaillit brutalement en elle.

Après une courte hésitation, elle rapporta la scène à laquelle elle avait assisté.

Ananie ôta ses lunettes, fixa les verres et se passa le dos de la main sur les yeux.

— Teya était avec elle ? demanda-t-il.

Jeanne secoua la tête. Ce n'est qu'alors qu'elle se rendit compte que Teya manquait, qu'elle l'avait complètement oubliée. Et aussitôt, elle commença à se sentir coupable.

Son père s'adressait maintenant à Jando :

— Et toi ? As-tu aperçu Teya ?

Dans le visage pétrifié et creusé de son fils, les lèvres s'avancèrent et formèrent un « non » qui resta muet. Jeanne prit peur. Qu'arrivait-il à Jando ? On aurait dit un fantôme. Avait il perdu la parole ? Ou la raison ? Elle aurait voulu ramper jusqu'à lui et le secouer. Mais le craquement soudain de roseaux piétinés l'en dissuada.

Quelques secondes plus tard, une horde d'adolescents apparut entre les tiges de bambous. Il y en avait six à sept, dont deux à peine plus âgés que Jando.

— On les tient ! cria l'un d'eux.

Malgré elle, Jeanne pensa aux garçons des rues qui avaient souvent lavé la moto de son père. Mais ces derniers étaient armés de produits de nettoyage, pas de haches et de machettes. Jeanne entoura Alain de ses bras.

Ses yeux tombèrent alors sur Zingiro, l'ancien domestique de la famille. S'il se tenait un peu en retrait des autres, son expression était tout aussi sinistre et déterminée que celle de ses complices. Jeanne ne l'avait plus vu depuis que Florence l'avait licencié, un an plus tôt environ. Il était devenu assez gros.

Sa présence inopinée dans ces lieux déclencha en elle une colère encore plus forte que sa peur. Elle aurait pu se jeter sur lui. Qu'est-ce qui lui prenait de les menacer ! Il voulait sûrement se venger.

Un des jeunes s'adressa à Ananie. C'était manifestement le plus âgé, et le meneur de la bande.

— Alors, Professeur, comment tu te sens ? ricana-t-il, et il cracha devant lui.

L'indignation de Jeanne grandit. Comment osait-il manquer à ce point de respect à son père !

— Sans ta jolie maison et ta moto ! poursuivit-il d'un ton perfide. Aujourd'hui, tu n'as plus rien ! À ton avis, qui roule sur ta moto, maintenant ?

Jeanne jeta un regard noir à Zingiro :

— Tu nous connais, toi ! Tu as travaillé pour nous. Qu'est-ce que vous nous voulez ? l'attaqua-t-elle.

Le chef de la bande répondit à la place de Zingiro :

— Qu'est-ce qu'on peut bien vouloir ? L'argent que vous avez sur vous ! Allez !

— Je n'ai rien, affirma Ananie.

— D'accord, alors tes chaussures. Ou ta chemise, Professeur !

Il fit de grands mouvements sans équivoque avec sa machette.

— Si vous n'avez rien à offrir, on vous tue !

Ananie sortit une liasse de billets de sa poche de pantalon et la lui tendit.

— Ah, tu vois ! Tu as de la chance.

Le meneur, triomphant, agita les billets, puis il désigna le jeune homme gisant sur le sol.

— Il est avec vous, celui-là ?

Immédiatement, Ananie répondit par l'affirmative.

Mais Zingiro intervint.

— Je connais parfaitement la famille ! grogna-t-il. Il n'est pas des leurs, sûrement pas.

À peine avait-il fini de parler que tous firent un pas en avant, comme au commandement, et frappèrent l'homme à terre.

Jeanne se cacha la tête dans les bras, et ne la releva que lorsqu'elle entendit :

— Ça y est.

Les jeunes meurtriers saisirent leur victime par les pieds et la traînèrent derrière eux. Ils s'éloignèrent en braillant.

Jeanne s'efforça de ne pas regarder l'endroit où le corps du jeune homme assassiné avait abaissé les roseaux. Elle se demandait s'il avait réussi à se rendre chez son ami Joseph, et si celui-ci avait refusé de le laisser entrer. Ou s'il n'avait fait que se cacher en chemin, le temps de se reposer un peu.

Lentement, le crépuscule envahit le champ de roseaux, accompagné de l'air frais de la nuit et, un peu plus tard, de nouvelles voix. D'abord lointaines, elles se rapprochèrent, et le craquement des tiges sous des pas assurés apporta à Jeanne la certitude qu'une nouvelle bande, guidée par les traces de la précédente, se dirigeait infailliblement vers eux.

Un groupe de jeunes écartèrent les roseaux et se placèrent en demi-cercle. Des civils, cette fois encore, mais munis de tout ce qu'il fallait pour tuer. Identiques. Ivres de pouvoir, l'un comme l'autre. Poussés par la cupidité.

Puisqu'il n'y avait plus d'argent, ils prirent les chaussures d'Ananie, sa montre, et même un stylo-bille en plastique et son étui à lunettes. Ils exigèrent aussi ses lunettes.

C'en était trop !

Jeanne ne pouvait plus se retenir. Elle protesta :

— Mon père ne voit rien sans lunettes ! Qu'est-ce que vous voulez faire avec ? S'il vous plaît, pas ses lunettes !

Cette fois, elle les supplia. Cela fit son effet. Ils partirent en laissant les lunettes d'Ananie.

Après leur départ, Jeanne attendit fiévreusement, l'oreille tendue. Elle constata qu'elle serrait les poings si fort que les doigts lui faisaient mal. Lentement, elle les déplia l'un après l'autre.

La tension s'atténuant un peu, elle se mit à trembler. Elle avait affreusement froid car elle ne portait qu'une robe d'été sans manches, son pull-over étant resté dans le local de toilette. Désespérée, elle se frotta les bras.

— J'ai horriblement froid, se plaignit-elle.

Jando tourna la tête dans sa direction et la fixa. Un voile se détacha de ses yeux, comme s'il venait de se réveiller. Il enleva son sweat-shirt et le lui tendit. Il en portait un autre par-dessous.

Reconnaissante, elle prit le pull et l'enfila aussitôt. L'intérieur dégageait encore la chaleur du corps de son frère. Petit à petit, le tremblement diminua.

Ils attendirent. Aucun d'eux ne parlait. Jeanne priait silencieusement pour que les bandes de voleurs aillent dormir. Car si d'autres se montraient, ils n'auraient plus rien à leur donner. Et ils seraient perdus.

Des cris les firent sursauter.

— Venez ! Par ici ! Il y en a qui sont entrés là ! Ils ne doivent pas être très loin !

— Fouillez le champ !

C'était la fin.

— Arrêtez ! Ce n'est plus la peine. Nous avons déjà tout inspecté. Il n'y en a plus aucun !

Jeanne resta interdite. Elle reconnaissait cette voix. C'était celle de Bernard.

— Tu en es bien sûr ?

— Tout à fait sûr. D'autres se sont déjà chargés de votre travail.

— Si tu le dis...

Les voix s'éloignèrent. Le calme revint.

Bien plus tard, après que l'obscurité fut complètement tombée, Bernard vint les voir comme il l'avait promis. Il leur apportait des couvertures, une lampe de poche et des gâteaux secs, mais il ne resta que quelques minutes.

— Il vaut mieux que vous ne soyez plus ici demain

matin, les mit-il en garde. Je vous conseille de quitter le champ avant l'aube. Ils vont revenir, et je ne pourrai plus rien pour vous.

— *Merci beaucoup*, vous avez déjà fait beaucoup, répondit Ananie. Si nous passons la nuit... *On verra.*

Bernard parti, le silence s'installa définitivement. Alain dormait déjà. Jeanne l'enveloppa dans une couverture et en posa une autre sur ses propres épaules.

Elle resta assise bien droite. Garda les yeux ouverts et fixa la nuit. Les herbes dures et les tiges s'enfonçaient dans sa chair. Sa peau, sèche et encore couverte de résidus de savon, commença à la démanger. Elle prit douloureusement conscience de chaque partie de son corps. Et d'un grand trou noir à l'intérieur.

Brusquement, elle fut certaine que sa mère était morte. Qu'elle ne pouvait pas être vivante.

— Retournons là-bas et couchons-nous à côté de Maman, déclara-t-elle. Comme ça, ils penseront qu'on est morts aussi, et ils ne nous feront rien.

Voilà, elle l'avait dit. Ses mots étaient suspendus dans l'obscurité.

— Les soldats viendront pour enterrer les morts, répondit finalement Ananie, d'une voix atone. Nous ne pouvons pas revenir en arrière, Dédé. Ne te creuse pas la tête. Cela ne sert à rien de ruminer ça.

Mais ses pensées ne la laissaient pas en paix.

Elle se rappela le décès de sa grand-mère. Lorsque Nyogokuru était morte, son entourage était resté en deuil toute une semaine. Les enfants n'avaient pas eu le droit d'aller à l'école. Tous les membres de la famille et les proches – amis et voisins – s'étaient réunis dans la maison de Nyogokuru, où le corps de la vieille femme avait été exposé, revêtu de sa plus jolie tenue de fête. Chacun pouvait aller près d'elle, la voir une dernière fois et lui dire adieu.

Dehors, dans la cour, on avait allumé un grand feu pour Nyogokuru. Jusqu'à l'enterrement, le troisième jour, on l'avait gardé jour et nuit afin qu'il ne s'éteigne pas. Les enfants s'étaient placés de temps à autre près des veilleurs et les avaient aidés en remettant du bois.

Tant que les morts n'étaient pas enterrés, il fallait les veiller près du feu.

Il n'y avait pas de feu pour Florence. Ni de proches en habits de deuil.

Mais Jeanne veilla toute la nuit.

Pendant que les meurtriers dormaient.

Tu m'as semée

Comme chaque matin, quand nous faisons notre tour avant le petit déjeuner.

Sur la première partie du trajet, nous sommes encore coude à coude. Mais dès la première montée, tu me dépasses. Dans les ruelles de Biniaraix, je te perds de vue.

Tu m'attends toujours à la sortie du village, à l'angle d'une rue. C'est le moment d'une petite pause, car nous sommes toutes les deux hors d'haleine.

Habituellement, nous continuons sur quelques mètres encore, et nous nous arrêtons au bord de la route surplombant la vallée. De là, on a une vue sur les orangeraies, la ville de Soller et ses vieilles tours, jusqu'à la baie.

C'est toujours à cet endroit que nous saluons le matin, avant même que les autres ne soient levés. Que nous observons le ciel féerique de Majorque pour deviner le temps qu'il fera. Que nous respirons le calme et le parfum des jardins. À part nous deux, il est rare que quiconque soit déjà debout. Ici, dans le Sud, la journée ne commence que plus tard. Tout ce que nous voyons ou sentons n'appartient qu'à nous, en cet instant.

Ensuite, nous descendons ensemble dans la vallée. La pente m'aide à suivre ton rythme. Tu n'as plus qu'une avance de quelques mètres. Puis nous rentrons à la maison, et préparons le petit déjeuner pour les autres. C'est ainsi que commence notre journée.

Aujourd'hui, dès le début, je suis plus lente que d'habitude.

Tu m'as semée depuis longtemps.

Bien qu'il soit encore très tôt, la chaleur du soleil pèse sur mes jambes. Et lorsque les ruelles deviennent plus abruptes, je tombe dans un « trot » laborieux. Biniaraix est un village si pittoresque ! Le jaune chaud des murs en moellons sous le bleu intense du ciel me pousse à faire un arrêt imprévu. Je regarde autour de moi. Les ombres du matin font paraître les couleurs plus sombres qu'elles ne le sont. Elles montent très haut, jusqu'au toit, et repoussent la lumière crue du soleil. Les teintes sont douces et voilées, comme si elles dormaient.

Je trouve une boutique. Un bar. Je promène mon regard sur la petite place et son église. C'est beau et pimpant.

En approchant de notre angle, je ne te vois nulle part. Tu ne m'as pas attendue. Tu n'es pas non plus à notre point de vue. Attends un peu, je finirai bien par te retrouver quelque part ! Je me remets à courir.

Après le tournant, sur la longue ligne droite de la rue menant à notre maison, j'espère te rattraper des yeux. Mais là non plus, je ne t'aperçois pas. Tu as décidé de me rabattre le caquet aujourd'hui, c'est ça ? Tu as peut-être déjà mis le café à chauffer ?

*À bout de souffle, j'arrive chez nous. J'ouvre le grand portail. Je suis dans l'*entrada.

Tu n'es pas là. Je n'entends pas le moindre bruit.

Je quitte rapidement la maison. Je repars en courant dans la rue. Je scrute les alentours. Aucune trace de toi. Je retourne au point de départ. Je lève les yeux vers Biniaraix. Je me décide à remonter là-haut pour te chercher.

Entre-temps, la boutique a ouvert ses portes. Mais il n'y a pas un chat à la ronde. Tu n'es pas là non plus !

Ni à notre angle.

Je commence à me faire du souci.

Les ombres sont si épaisses devant les grandes portes dissimulant l'intérieur des maisons. J'imagine un bras fort qui en sort brusquement et t'attire à l'intérieur. Tu es une jolie jeune fille !

Et mon imagination est sans bornes quand la peur l'alimente.

Peut-être t'es-tu foulé le pied ? Mais j'aurais dû te trouver au bord du chemin.

Ma montre me dit que tu as près d'une heure de retard. Et ce n'est pas du tout ton genre ! Mon cœur se met à battre la chamade. Je vais devoir faire quelque chose... Mais d'abord, je rentre à la maison !

Tu m'attends devant la porte. Tu respires la santé.

Colère et joie se mêlent en moi.

Je te réprimande :

— Mais où étais-tu ?

Tu me l'expliques.

Comme je me faisais attendre, tu as fait exceptionnellement un petit crochet. Et à partir de ce moment-là, nous nous sommes ratées partout. Toi aussi, tu m'as cherchée. Tu m'as attendue.

Le petit déjeuner a particulièrement bon goût, aujourd'hui. C'est bon que tu sois là !

Oui, j'ai eu peur pour toi.

À part le petit Alain, aucun d'entre eux n'avait dormi. Ils avaient tenu bon dans le champ de bambous, sans attendre le matin, car le matin n'annonçait pas un nouveau jour.

Ils n'avaient plus d'argent, ni rien d'autre qui puisse acheter leur vie, et ils n'avaient aucun moyen d'échapper aux meurtriers. Ils étaient perdus.

Et ils le savaient.

Vint le moment où les lumières du ciel s'éteignirent. Une couche de nuages était venue se placer devant, annonçant la pluie que Jeanne avait attendue toute la nuit, parce qu'elle était aussi inévitable que tout le reste. Sous ses yeux, l'aube s'éleva des roseaux. Le jour, qui n'était prometteur d'aucune issue, s'approcha à pas de loup.

Puis vint l'averse, dont les gouttes s'abattirent sur eux avec fracas. Plus rien à voir avec les nuages avec lesquels on pouvait jouer à chat perché. Elle pénétra dans leur cachette, froide et cinglante, tira Alain de son sommeil et les força tous à se lever. Une alliée des meurtriers !

Ils se serrèrent l'un contre l'autre, tendirent les couvertures au-dessus de leurs têtes et attendirent que l'averse cesse, aussi rapidement qu'elle avait commencé.

Le soleil transperçait les nuages de toutes ses forces, les déchirant tout autour de lui et annonçant clairement qu'il faisait définitivement jour.

— *Venez, enfants ! On y va*, dit Ananie.

Ils laissèrent les couvertures.

Jeanne avait du mal à progresser. Elle avançait comme sur des échasses, ses articulations étaient douloureuses et se refusaient à faire le moindre mouvement.

Mais Ananie, pieds nus, marchait à grands pas devant les enfants, comme pendant une de leurs promenades dominicales. Il se dirigeait droit vers la route principale, qu'ils atteignirent au bout de quelques minutes seulement. La manière dont il se déplaçait, droit et fixant du regard un point devant lui, comme s'il n'y avait plus rien à craindre, avait quelque chose de provocant.

Dans l'enclos des maisons qui se trouvaient sur leur chemin, les activités d'un matin ordinaire suivaient leur cours.

Les femmes étendaient du linge dehors. Les céréales étaient sorties de leur enveloppe et mises à sécher, étalées sur de grandes nattes en raphia. Les enfants jouaient dans les cours, leurs voix animées et enjouées comme toujours. Devant un énorme bac en bois, un garçon, un vieil homme et deux femmes étaient agenouillés, les bras disparaissant dans le profond récipient dont ils pétrissaient sans répit le contenu. Jeanne savait ce qu'ils faisaient. En exerçant une pression permanente, ils essayaient d'extraire le jus d'une bouillie de bananes additionnée d'herbe. Pour transformer ce jus en bière, il fallait s'y prendre tôt, car sa fabrication exigeait un processus très long et très astreignant, qui demandait toute une journée de préparation. Le travail de malaxage requérait toute la force de leurs doigts, et l'effort se lisait sur tous les visages.

Si d'autres maisons n'avaient pas été détruites et abandonnées ; s'il n'y avait pas eu sur la route principale, outre Ananie et les enfants, des *interahamwe*, des paysans armés, des bandes de jeunes et quelques militaires, on n'aurait pu déceler aucun signe de menace ou d'exactions passées.

« Qu'est-ce que c'est que cette guerre, se dit Jeanne, où les uns pendent leur linge, pendant que les autres se font tuer à côté d'eux, sans raison ? Qu'a fait ma famille, qu'ai-je fait, et qu'ont fait mes amis pour mériter la mort ? »

Ils étaient tutsis. Jeanne savait maintenant que tous les Tutsis devaient mourir. Tous, sans exception. Mais pourquoi ?

Tandis qu'elle se traînait derrière Ananie, luttant contre les douleurs dans ses jambes et tenant fermement le petit Alain par la main, elle perdit le contact avec ce qui se passait autour d'elle. Elle était prisonnière d'un mauvais rêve, ensevelie sous ses images confuses.

Elle ne s'étonna donc pas que son père, Jando, Alain, et elle marchent au beau milieu de la route principale, entre des meurtriers qui allaient dans la même direction qu'eux. Et pas davantage qu'ils ne soient pas inquiétés, que personne ne leur fasse rien. C'était comme s'ils étaient entourés par une bulle qui les protégeait de l'extérieur. Comme s'ils n'étaient pas vraiment là.

Voilà qu'on les dépassait. On leur lançait des regards noirs ; des paroles railleuses fusaient :

— Qu'est-ce que vous venez faire ici ? Vous avez dû vous perdre !

— Qu'est-ce que vous regardez comme ça ? Vous croyez toujours valoir mieux que les autres ? Ça finira par vous passer !.

— Alors, Professeur, en route pour l'école ? Tu as un peu de retard, aujourd'hui ! Mais on t'attendra, tu peux en être sûr.

Ananie ne se laissait pas troubler, ne montrait aucune émotion. Jeanne n'avait pas la moindre idée de ce qu'il avait en tête, mais elle lui faisait confiance.

Peu avant qu'ils n'atteignent le centre communal, Ananie posa la main sur l'épaule de Jando.

— Nous allons voir le bourgmestre, dit-il.

Cette fois, ils s'approchèrent de la petite maison par derrière, la contournèrent et trouvèrent de nouveau le bourgmestre devant sa porte. Il s'apprêtait à rentrer chez lui. Il ne portait qu'une grande serviette nouée autour de son ventre énorme, comme s'il sortait de la douche.

Lorsque Ananie et les enfants se dirigèrent vers lui, il se tourna vers eux, visiblement irrité.

— *Bonjour*, Innocent, dit Ananie. Pardon de vous déranger, mais vous devez nous aider ! Indiquez-nous un endroit où nous pouvons rester !

— Mais Ananie, vous savez très bien que je ne peux rien pour vous ! Je ne peux plus accueillir ici qui que ce soit. Je n'en ai pas le droit !

— Innocent, *pour l'amour de Dieu !* Aidez-nous ! Ne pouvez-vous pas protéger les enfants, au moins ?

— *Impossible !*

La porte se referma derrière le bourgmestre, et c'est son claquement sourd qui eut le dernier mot.

Ils restèrent figés sur place, hébétés. Désormais, ils n'avaient plus personne vers qui se tourner.

Jeanne regarda son père. Il se tenait là, épaules tombantes, le visage gris et las comme celui d'un vieil homme. Ses yeux transperçaient la porte.

— Venez par ici ! Vite !

La voix venait du portail de la cour. Trop basse pour être un cri, c'était néanmoins un appel explicite qui s'adressait à eux. Le domestique du bourgmestre, à moitié caché derrière le grand pilier de l'entrée, leur faisait signe de la main. Ils obéirent aussitôt et coururent jusqu'au portail. La cour était vide.

— Je vais vous cacher chez moi, mais pas longtemps, dit l'employé de maison.

Il se précipita vers sa chambre, à côté de la cuisine, les fit entrer et referma aussitôt la porte derrière eux.

— Je pense que personne ne viendra vous chercher ici pour l'instant. Vous pouvez rester jusqu'à ce que j'aie trouvé quelque chose pour vous.

— *Merci !* dit Ananie.

La pièce était très petite ; ils suffisaient à la remplir. Deux minuscules fenêtres, situées en hauteur, ne laissaient entrer qu'un peu de lumière. Il y avait un lit, qui occupait la majeure partie de la chambre, une étagère chargée de caisses et de denrées alimentaires, et un grand sac ouvert d'où dépassaient des vêtements.

— Bosco ! Où es-tu ?

C'était la voix d'Innocent. Exaspéré.

— Bon, je vais essayer de vous trouver quelque chose ! chuchota Bosco avant d'entrebâiller la porte et de se glisser dehors.

Ananie le regarda partir. Immédiatement après, il déclara :

— *Bon, mes enfants*, je vais vous laisser un petit moment, moi aussi. Je vais voir si je peux nous rapporter à manger et à boire.

Jeanne, jetant un coup d'œil sur l'étagère bien remplie, voulut l'en dissuader.

Mais Ananie, brusquement très pressé, semblait vouloir saisir l'occasion de s'éloigner sans se faire remarquer.

— Quoi qu'il arrive, vous attendez ici ! *Compris ?*

Il était déjà dehors.

Après qu'il les eut quittés, Jeanne tendit fiévreusement l'oreille, sans trop savoir ce qu'elle guettait. Des coups de feu ?

Le calme régna. Pendant tout un moment. Assez longtemps pour qu'elle puisse supposer que son père avait réussi à quitter la cour en passant inaperçu.

Mais peu après, le silence fut brisé par une agitation bruyante et des pas vigoureux, au-dehors. Des gens entraient en courant dans la cour.

— Eh ! Où sont ceux qui viennent d'entrer ici ? hurla l'un d'eux.

Jando se baissa et disparut sous le lit. Jeanne regarda autour d'elle, cherchant une autre cachette. Mais il n'y en avait plus.

— Vite ! souffla Jeanne, et elle fit venir Alain à côté d'elle, sur le lit sous lequel son frère s'était caché.

Elle espérait que leurs jambes ballantes serviraient à le soustraire aux regards.

Au même moment, la porte s'ouvrit. Deux hommes, un jeune de haute taille au crâne rasé et un homme plus âgé, plus petit mais bien plus large, se tenaient sur le seuil. Tous deux armés de machettes. Jeanne jeta un œil dans la cour, où étaient campés trois autres hommes, également munis de haches et de machettes.

Le vieux entra dans la chambre, suivi par le jeune. Tous deux balayèrent la pièce du regard. Puis le vieux se planta juste devant Jeanne. Ses vêtements dégageaient une odeur nauséabonde. Sur un tee-shirt imprimé vert-jaune, il portait un costume sale et déchiré, dont la veste et le pantalon étaient dépareillés. Ses cheveux aussi étaient encrassés. Des petits nœuds décolorés par le soleil et teintés de roux par la poussière recouvraient sa tête.

Ses traits étaient grossiers, sa peau grenue et couverte de cicatrices. Il ouvrit la bouche pour parler, dévoilant des chicots pourris :

— Où sont ton père et ton frère ? aboya-t-il.

De crainte que la peur dans son regard ne la trahisse, Jeanne baissa la tête, et ses yeux tombèrent sur les élégantes chaussures en cuir reluisantes accueillant les pieds nus et sales du vieillard.

Saisie par la certitude qu'un homme avait perdu la vie à cause de ces chaussures, elle fut envahie par une colère incontrôlable.

Elle releva la tête, les yeux remplis d'une rage chauffée à blanc.

— Je ne sais pas, répondit-elle d'une voix tremblante. Vous venez peut-être de les tuer !

L'homme prit son élan et la frappa au visage, de toutes ses forces, au point qu'elle tomba sur le côté. Elle frotta sa joue brûlante. Elle avait aussi les yeux qui piquaient, mais elle retint ses larmes. Sa colère était plus forte que la douleur.

Le vieillard la prit alors par le bras et la tira violemment vers lui pour l'emmener dehors, dans la cour. Elle se débattit. Alain, dont elle serrait toujours la main, fut entraîné à sa suite.

Le jeune au crâne chauve intervint et tenta de séparer les deux enfants. Lorsqu'elle ne put plus tenir Alain, Jeanne se jeta par terre, pour opposer une résistance. Elle fut traînée à travers la cour et vit un des trois hommes postés devant la porte pénétrer dans la chambre du domestique. Alain courait derrière Jeanne. Au portail, elle tendit les bras et se cramponna au poteau, agita les jambes et cria de toutes ses forces :

— Lâchez-moi ! Je ne veux pas ! Je ne veux pas !

Alain était juste à côté d'elle.

D'autres paysans et des adolescents armés s'étaient réunis devant le portail. Ils semblaient attendre quelque chose.

Jeanne se redressa lentement.

L'un d'eux vint vers elle :

— Qui êtes-vous ? Vous êtes bien tutsis, non ? Où sont vos parents ?

Jeanne ne répondit pas.

— Ma maman a dit que mon papa va revenir du Zaïre pour me chercher, dit Alain d'une très petite voix.

Un homme fluet se détacha du groupe et prit sa main.

— Je connais son père, affirma-t-il. Il vient avec moi.

Personne ne semblant être contre, l'homme se mit en route, accompagné d'Alain.

Tout en trottinant derrière lui, manifestement contre son gré, le petit se retourna pour voir Jeanne.

— Teya ! Teya ! lança-t-il plaintivement.

Et, pour la première fois depuis qu'elle l'avait trouvé et emmené, il se remit à pleurer.

Jeanne reçut un coup de massue à l'épaule. Elle cria.

— Tu vas parler !

Un second coup suivit.

— Arrête ! s'écria-t-elle. Je suis une Hutue !

À peine avait-elle prononcé ces mots qu'elle vit deux hommes tirer Jando dans la cour, pendant que d'autres, derrière lui, le rouaient de coups de massue et de pied. Il devait déjà avoir été battu et blessé à l'intérieur, car il tenait à peine sur ses jambes. Les yeux à demi fermés, la tête pendant sur le côté, il vacillait entre ses bourreaux. Ils franchirent le portail, tout en continuant à le frapper. Il n'émettait aucun son, comme s'il était déjà inconscient, mais Jeanne croisa un regard chargé de souffrance. Elle sortit de ses gonds :

— Laissez-le ! Tout de suite ! C'est mon frère ! Il ne vous a rien fait !

— Tu nous as menti !

La voix froide de l'homme qui avait les chaussures d'un autre lui siffla aux oreilles.

Impuissante, elle vit Jando être poussé sous une pluie de coups vers l'esplanade du centre communal, où d'autres candidats au meurtre et quelques soldats et policiers s'étaient rassemblés.

Elle s'échappa et courut après son frère. Mais avant qu'elle ne puisse le rejoindre, elle vit un paysan traverser la place en courant. Apparemment sans but.

Mais en passant à côté du groupe entraînant Jando, dans sa course, il leva sa houe à long manche et en planta la lame dans l'arrière du crâne de Jando. Celui-ci s'écroula et resta étendu sans bouger. Les coups pleuvaient toujours. Le paysan, lui, avait disparu.

Au moment où la houe avait touché sa cible, Jeanne s'était mise à crier. Elle cria avec chaque fibre de son corps. Elle cria à la place de son frère, lorsqu'il mourut.

Personne ne vint vers elle.

Les assassins laissèrent enfin leur victime et s'éloignèrent. Seul le jeune homme au crâne rasé était encore là. Il arracha les habits du corps de Jando et les enfila au-dessus des siens. Le short de Jando, son tee-shirt, son sweat-shirt.

Puis il prit le mort sous les bras, le souleva, le transporta jusqu'à la fosse et l'y jeta.

Jeanne ne criait plus.

Elle ne pleurait pas non plus. Elle était incapable de pleurer. Ses pleurs étaient retenus prisonniers.

Les geôliers faisaient leur ronde.

Nous mangeons du melon et du jambon
Des larmes coulent sur ton visage

Toute la journée, tu m'as pourchassée de tes mots.

À la plage. Dans un café. Dans le petit train qui nous ramène de la rade à la ville de Soller, à travers des jardins sauvages.

Ce sont nos premières vacances à Majorque. Nous sommes venues seules. Nous avons décidé de commencer à travailler sur notre livre.

Dès le petit déjeuner, tu t'es mise à raconter.

Comme un automate dont on aurait actionné le mécanisme. Impossible de t'arrêter, aucun instant de répit. Tu as continué à parler tandis que nous marchions dans les ruelles.

Collée contre le mur d'une maison pour laisser passer les voitures, je t'ai écoutée. J'ai entendu tes lèvres dire l'horreur. J'ai entendu des mots qui cherchaient à sortir.

Des fragments de souvenirs dans le désordre. Je t'ai écoutée toute la journée. Sur le chemin du supermarché. En déambulant entre les rayons, en mettant dans le caddie les produits dont nous avions besoin pour le repas du soir. Je t'ai interrompue une seule fois. Alors que nous faisions la queue, dans la longue file devant le comptoir où l'on vend de la viande :

— Un moment. Je dois acheter du jambon. Je suis de nouveau à toi juste après.

Ce n'est qu'au dîner que le calme revient peu à peu. L'explosion des mots est passée.

Dans le silence, tu poses alors la question qui te hante depuis si longtemps. Tu me demandes pourquoi tu n'as pas été tuée, toi aussi. Tu te sens coupable. Coupable que ce soit justement toi qui aies survécu. Justement toi ! C'est ainsi que tu vois les choses. Une réflexion un peu amère, à mes oreilles. Tu veux sans doute dire par là que les autres méritaient pourtant plus que toi de survivre.

Que puis-je te répondre ? Je m'approche à tâtons de ce que je ressens depuis longtemps, ce que je sais depuis aujourd'hui avec une quasi-certitude :

— Tu voulais vivre ! À chaque instant, et tu le veux toujours. Tu t'es battue pour ça, et tu te bats encore. Tu es ta propre raison de vivre.

C'est ce que je te dis, tout en découpant le melon en petits « bateaux », morceau après morceau. Je lève les yeux et je me remets à parler :

— Il y a une autre raison pour laquelle tu as survécu : pour qu'existe ce moment où nous sommes ensemble, ici.

Tu es là, maintenant, pour moi. Et ça me rend heureuse. Ta vie a aussi un sens pour moi. Et pour les autres.

Tu me regardes et tu te tais.

Je fais le tour de la table. Je m'approche de toi et j'enserre tes épaules. Je t'attire tout contre moi.

— Tu le sens bien, à quel point tu es importante pour nous !

Tu ne dis toujours rien.

— Dis, qu'as-tu éprouvé lorsque tu es arrivée chez nous ?

Tes yeux se remplissent de larmes.

— Je vous ai fait confiance, dis-tu. Aussitôt.

Et tu te mets à pleurer. Pour la première fois.

Des larmes coulent sur ton visage. Et elles continuent de couler tandis que tu commences à manger. Un flot qui ne tarit pas. Pas avant longtemps.

C'est la saison des pluies. La vie revient.

Jeanne, seule au milieu de la place devant le centre communal, regardait autour d'elle.

Où était son père ? Il avait promis de revenir, pourtant. Mais il ne reviendrait pas. Jamais. Il était mort, lui aussi. Sûrement. Ils étaient tous morts. Tous sauf elle. Pourquoi pas elle ? Elle voulait aussi être morte. Où devait-elle aller, maintenant ?

Elle restait là, sans bouger.

Tout autour d'elle, les groupes se défaisaient. Quelques soldats et *interahamwe* s'en allèrent, et les civils se mirent à débarrasser la place, jetant les cadavres dans les fosses. Il n'y en avait plus beaucoup. Visiblement, un ménage soigneux avait déjà eu lieu la veille.

Des bâtiments qui avaient, les jours précédents, servi de dortoirs aux Tutsis, on dégageait encore quelques réfugiés. Des corps abîmés par les grenades.

Jeanne les regardait faire, sans plus être touchée au fond d'elle-même. À un moment, elle entrevit de très loin un homme qui se tenait à côté de deux policiers et leva la main, comme s'il voulait la saluer. Un geste d'un autre monde, qu'elle ne comprit pas. Elle se détourna.

La porte du bâtiment communal, d'où elle s'était échappée au dernier moment, la veille seulement, s'ouvrit. On en sortit une femme.

Son corps reposait sur un grand tissu en coton coloré, au motif d'oiseau. Peut-être était-ce ce motif, peut-être aussi quelque chose d'autre, de familier, qui firent avancer machinalement Jeanne de quelques pas dans sa direction.

C'était tante Pascasia. Elle n'avait plus de jambes.

Ses yeux étaient tournés vers Jeanne, mais rien n'indiquait qu'elle l'avait reconnue.

— De l'eau, s'il te plaît ! gémit-elle.

Jeanne bondit. Le mot « eau » déferlait dans sa tête, comme une source l'empêchant de sombrer dans la folie.

De l'eau. De l'eau... Quand quelqu'un en demandait, on n'avait pas le droit de refuser.

Elle courut jusqu'au point d'eau. Aucun récipient. Et il fallait qu'elle se dépêche. Jeanne mit ses mains en coupe, les remplit et repartit en courant. L'eau gouttait entre ses doigts, s'écoulait par la jointure de ses deux mains.

Lorsqu'elle atteignit l'endroit où elle avait vu sa tante pour la dernière fois, il n'y avait plus personne.

Elle tenait ses mains devant elle, toujours en forme de coupe. Ses paumes luisaient au soleil. Humides. Mais ses mains étaient vides.

Elle leva la tête vers le soleil. Un vol d'oiscaux passa à contre-jour, battement d'ailes dans l'air. Elle cligna des yeux. Son regard revint sur la place, la fouilla. Resta accroché au bord de la fosse.

Non, elle ne pouvait pas aller regarder dans la fosse.

Derrière elle, des pas lourds se rapprochèrent rapidement. Quelqu'un lui prit le bras. Elle se retourna lentement. Sûre qu'elle allait maintenant affronter sa propre mort.

Mais c'était l'homme qui lui avait fait signe :

— Viens, Dédé. Je vais essayer de t'emmener chez nous.

Il la conduisit avec précaution hors de la place. Elle se laissa faire, sans la moindre volonté. Ils se dirigèrent vers un groupe de femmes, de jeunes filles et d'enfants qui s'étaient installés sur un coin d'herbe, au bord de la rue. Des êtres inertes, gardés par les deux policiers et par quelques paysans qui s'attardaient. Certaines des femmes et des jeunes filles étaient blessées aux bras et aux jambes.

Une jeune fille de seize ans environ était assise un peu à l'écart. Chantal ! Ancienne élève de Florence, elle s'était parfois occupée de Jeanne lorsqu'elle était encore petite et que sa mère l'emmenait avec elle à l'école. À côté de Chantal se tenait Carine, sa sœur, à peine plus âgée que Jeanne.

Jeanne s'assit près d'elles sans mot dire. Chantal avait changé. Elle, qui avait toujours été très élancée, semblait maintenant efflanquée. Son visage étroit était creusé et encore allongé par la coiffure à la mode : les cheveux étaient coupés ras sur les côtés, longs et relevés sur le dessus de la tête.

Au fond de ses yeux ronds brillant d'un éclat fiévreux se trouvait l'indicible que Jeanne portait aussi en elle. Le dos de la main droite de la jeune fille et son petit doigt étaient enflés, percés d'éclats de grenade. Chantal saignait. Elle essayait sans arrêt d'essuyer sa main sur sa longue robe d'été aux couleurs vives.

— Bonjour, Dédé, dit-elle doucement.

Jeanne ne fut pas capable de lui rendre son salut.

— Dédé..., reprit Chantal après une pause. As-tu vu quelqu'un de ta famille, à part Jando ?

Jeanne comprit aussitôt ce que Chantal voulait dire par ces mots. Elle aussi avait assisté au meurtre de Jando. En parler de la sorte rendait les choses plus faciles.

— J'ai vu ma mère, répondit-elle à voix basse. Hier. Sur l'esplanade, devant le centre communal.

Elle déglutit.

— Mon père était encore avec nous ce matin. Il voulait aller nous chercher à manger. C'est ce qu'il a dit, en tout cas. Après, je ne l'ai plus revu.

Chantal hocha silencieusement la tête.

— Je n'ai pas vu Teya non plus, dit Jeanne.

— Moi, si, lui dit Chantal. Elle était avec nous dans la salle des fêtes quand c'est arrivé. Tout près de moi.

Elle fixa sa main blessée.

— Nous étions tout à l'arrière, c'est pour ça que je n'ai pas eu grand-chose. Teya n'a pas été touchée, Dédé, ça, je le sais. Elle est juste tombée. C'est tout.

L'instant où elle était sortie par la porte en rampant entre les jambes des soldats refit surface en Jeanne.

« Teya ! pensa-t-elle. Teya ! Elle était là-dedans. Et je ne le savais pas. »

L'homme qui l'avait saluée, puis emmenée hors de la place, se détacha du groupe des paysans.

— Dédé, si tu veux, je te prends avec moi, lui proposa-t-il une nouvelle fois.

Et elle se rappela brusquement qui il était.

Vincent. Un ami de sa tante Theresia, laquelle possédait plusieurs maisons, une banque et un restaurant à Kibungo. Vincent avait travaillé comme gérant pour elle pendant un temps.

Durant les jours où Jeanne et sa famille avaient séjourné à Birenga, on leur avait transmis de temps à autre un message de tante Theresia. Le dernier était un mot manuscrit annonçant que Theresia se cachait quelque part dans son restaurant. Ensuite, ils n'avaient plus eu de nouvelles.

— Tu veux venir avec moi, Dédé ? lui demanda gentiment Vincent.

Deux des paysans près d'eux intervinrent :

— Qu'est-ce que ça veut dire, Vincent ! Tu n'as rien à faire avec cette famille ! Tu vas laisser cette fille ici !

Leur ton et la manière dont ils s'approchèrent de lui étaient sans nul doute destinés à l'intimider, voire à le menacer.

— Ça ne suffit pas que tu aies pris les affaires de Theresia chez toi !

Vincent recula.

— Je suis désolé, Dédé. Ne t'inquiète pas. Je vais voir ce que je peux faire pour toi, dit-il à regret avant de s'en aller.

Lorsqu'il fut parti, Jeanne s'affaissa, cédant sous l'épuisement le plus total.

Pendant ce temps, les travaux de déblaiement s'étaient poursuivis devant les bâtiments communaux. On commençait à combler les fosses avec la terre entassée à leur bord. Jeanne l'enregistra comme un événement très lointain, qui n'avait rien à voir avec elle.

D'autres femmes et jeunes filles vinrent s'ajouter au groupe des survivants, sur la bande d'herbe. Mais avant de pouvoir s'asseoir, elles devaient se soumettre à un petit interrogatoire.

Certaines d'entre elles furent emmenées peu après par quelqu'un. Les plus jeunes filles surtout, à qui on avait proposé une place d'employée de maison, ou le mariage.

Jeanne dressa l'oreille au mot de « mariage ».

Quand des femmes tutsies épousaient des hommes hutus, elles devenaient des Hutues. Et les enfants qu'ils avaient ensuite l'étaient aussi.

« Se marier ou mourir, pensa Jeanne. Ça revient au même ! »

Peu de temps après, elle vit une jeune femme se diriger droit vers eux. Accompagnée de cinq enfants, elle se déplaçait d'une façon presque désinvolte. Jeanne la regarda. Elle la connaissait.

C'était Maria, une voisine qui habitait avec son mari Gasana et ses enfants sur la même colline que la famille de Jeanne, tout près de chez eux. Malgré cela, Jeanne ne connaissait les enfants que de vue, car elle n'avait jamais joué avec eux. Et les plus âgés, trois garçons issus du premier mariage de Gasana, allaient dans une autre école qu'elle. Maria avait avec elle deux autres enfants, plus jeunes ; un petit garçon de quatre ans environ et une fillette de moins d'un an, qu'elle portait sur le dos, enveloppée dans un pan de tissu.

C'était une femme corpulente, avec un visage joufflu et un double menton. Elle avançait pesamment vers le groupe, roulant les hanches comme s'il fallait qu'elle cherche le sol à chaque pas. Sa tête et son corps étaient entourés de tissus colorés.

Après avoir atteint le coin d'herbe, elle s'arrêta, respirant avec difficulté, et se tourna vers les policiers.

— Dites-moi où je dois me présenter pour avoir un laissez-passer ! exigea-t-elle sans ambages.

Les policiers la considérèrent avec méfiance, visiblement déroutés par la hardiesse de sa requête.

— D'où viens-tu, d'abord, et où veux-tu aller ? demanda brutalement l'un d'eux.

— J'étais chez des amis, jusqu'à présent. Ils m'ont conseillé de venir me présenter ici, au centre communal.

— Et pourquoi n'es-tu pas restée chez toi ?

— Ma maison est détruite. Gasana, mon mari, est mort. Il était tutsi.

Elle s'interrompit brièvement, puis reprit, nettement plus fort et d'un ton prétentieux :

— Mais je suis une Hutue ! Et je veux rentrer à Zaza, où vivent mes parents et les autres membres de ma famille. Voici mes enfants.

— Ils sont tous à toi ?

La question se voulait railleuse.

Elle le réaffirma d'un hochement de tête vigoureux.

— Si jeune et déjà autant d'enfants, et aussi grands ?

Elle acquiesça de nouveau, avec un sourire mal assuré.

— Mets-toi là à côté des autres, on verra !

Maria et ses enfants se laissèrent tomber dans l'herbe, non loin de Jeanne, Chantal et Carine.

Les travaux de déblaiement semblaient maintenant achevés, car on ne voyait presque plus personne à côté des fosses, ni sur la place.

Les rares paysans qui se tenaient encore près des rescapés pour les surveiller se préparaient à partir.

Certains s'éloignèrent en direction de l'église.

Jeanne entendit l'un d'eux dire en partant :

— Il y a encore du travail qui nous attend ailleurs.

D'autres, désireux de rentrer chez eux, emmenèrent encore quelques jeunes filles du groupe des réfugiés. Finalement, il ne resta plus que Maria, ses enfants, Jeanne, Chantal et Carine. Ainsi que les deux policiers, qui avaient l'air quelque peu perplexes.

Maria se pencha vers Jeanne et Chantal.

— Et vous ? leur demanda-t-elle. Vous ne savez pas où aller ?

Chantal lui expliqua qu'elle voulait faire soigner ses blessures à l'hôpital. Jeanne resta muette.

— Tu peux oublier l'hôpital ! dit Maria à Chantal. Et, sans certificat, vous n'irez nulle part !

Après une pause, elle finit par reprendre :

— Si vous ne savez vraiment pas où aller, venez à Zaza avec moi ! Là, je pourrai peut-être vous aider.

Elle jeta un coup d'œil furtif en direction des policiers et baissa la voix :

— Je vais leur dire que je connais vos parents et que vous êtes hutues, ajouta-t-elle. Bon, on va voir s'ils peuvent nous établir un permis pour que les soldats nous laissent passer aux barrages.

Elle se redressa :

— Allez, debout !

Les enfants se levèrent et la suivirent.

— Je veux partir pour Zaza avec les enfants, annonça Maria aux policiers. Pouvez-vous me renseigner, ou dois-je plutôt m'adresser au bourgmestre ?

— Ce ne sont pas tous tes enfants, quand même ?!

— Non, ces cinq-là, seulement. Mais je connais bien les trois autres et leurs parents. Nous sommes de la même famille.

Les policiers semblaient indécis, mais on voyait qu'ils voulaient eux-mêmes s'en aller, et en finir rapidement.

— Bon, très bien ! Je vais dresser la liste des personnes avec qui tu circules. Le bourgmestre devra la signer. Tu attendras ici ! ordonna l'un d'eux d'un ton rude.

Il interrogea encore Maria sur le lieu exact d'où elle venait, son nom, sa destination, nota tout sur un bout de papier et ajouta qu'elle avait avec elle huit enfants de sa famille.

Puis il se rendit chez le bourgmestre.

Tandis qu'ils attendaient son retour, ils virent soudain deux jeunes monter en courant un sentier entre les maisons. Bras levés, ils agitaient entre eux un tee-shirt blanc en guise de drapeau. Jeanne savait qui ils étaient : des amis de sa cousine Claire. Excités et haletants, ils s'approchèrent.

— Tout est fini ! Tout est fini ! criaient-ils en chœur.

D'un geste sec, le policier leva le canon de son arme, visa et tira.

Les deux jeunes zigzaguèrent, tentant vainement de s'échapper. Les coups de feu suivants les touchèrent dans le dos. Jeanne les vit s'effondrer.

« Tout est fini ! » se dit-elle.

Le policier ne bougea pas d'un pouce. Il n'eut même pas un regard pour eux. Il tenait son arme négligemment, le canon de nouveau dirigé vers le sol, comme si rien ne s'était passé.

Le soleil, au zénith dans un ciel sans nuages, dardait impitoyablement ses rayons sur l'esplanade vide, comme balayée.

Un peu plus tard, le second policier revint. Sans prêter attention aux corps étendus par terre, il tendit le certificat à Maria.

— Vous pouvez partir, dit-il.

Lorsqu'ils quittèrent Birenga, toute la commune était plongée dans un silence de mort.

Tu m'expliques ce que signifient vos noms

Les noms africains.

Ce sont vos premiers noms, dis-tu, bien qu'ils arrivent en second. Ce n'est qu'après la naissance, lorsque les parents contemplent pour la première fois leur enfant, qu'ils lui choisissent un nom. Ce dernier a une signification ; c'est un guide ou un cadeau qui le suivra sur son chemin.

Tu dis que ce choix peut dépendre, par exemple, de celui ou celle à qui le bébé ressemble. Ou de ce qui s'est passé avant même qu'il ne vienne au monde. Quelque chose d'important. Ou, simplement, de la première impression que le bébé fait à ses parents.

Ainsi, le second nom n'est pas un nom de famille. Il n'a rien à voir avec la parenté.

Au début, cela m'a énormément déroutée. Mais maintenant, je comprends que vos noms n'ont aucun caractère administratif. Qu'ils sont un legs qui vous accompagne. Toute votre vie.

Les noms qui viennent en premier ne s'ajoutent que plus tard. Au moment du baptême. Ils deviennent généralement des surnoms.

Florence Muteteli : *L'enfant chéri des parents*
Ananie Nzamurambaho : *Celui pour qui je ferais tout*
Jean de Dieu Cyubahiro : *L'honoré*
Catherine Icyigeni : *Ce que Dieu a prévu pour toi*

Ce sont les noms de ceux qui partageaient ta vie, avant que la mort te les enlève. Ils me sont tous familiers, maintenant, comme si je les avais connus moi-même. En particulier ta mère. Je la sens presque aussi proche de moi que tu l'es.

Dans le journal intime que je t'ai offert un jour et que tu m'as donné à lire il y a peu, tu te demandes si Florence, si elle pouvait te voir aujourd'hui et savoir comment tu t'en es sortie, serait fière de toi.

Je te vois avec ses yeux.

Oui, elle serait fière de toi. Nous sommes très fiers de toi.

Jeanne d'Arc Umubyeyi* : *Celle qui offre la vie.*

C'est le nom qu'ils t'ont donné pour t'accompagner sur ton chemin.

Ils n'auraient pas pu choisir de nom qui t'aille mieux que celui-là.

La mère de Nyogokuru, ton arrière-grand-mère, te surnommait affectueusement « Dédé ». « Bébé », en réalité. Elle n'avait plus de dents et n'arrivait plus à parler correctement.

Tout le monde t'a appelée « Dédé ».

Pour nous, tu es Jeanne, désormais. Et pour moi, Jeanne d'Arc, la combattante.

Florence Muteteli
Ananie Nzamurambaho
Jean de Dieu Cyubahiro, Jando
Catherine Icyigeni, Teya

Nous nous souviendrons d'eux. Et de tous les autres qui sont morts à leurs côtés.

Je repense au conte de Nyogokuru. L'histoire de la voix de l'Afrique. De Kalinga, le grand roi des tambours, que l'on peut entendre en tout lieu. L'histoire de la colline où ciel et terre se touchent. Où le grand roi du Ciel et le roi de la Terre se rencontrèrent, où leurs familles s'unirent, et qui vit ensuite le début d'une période de paix. Nyogokuru connaissait cet endroit.

Rendons-nous là-bas par la pensée. Prêtons l'oreille à la grosse voix de Kalinga et aux voix de ceux qui t'aimaient. Tu leur es reliée par-delà le temps et l'espace.

Nous allumerons un feu en nous, pour eux, et nous veillerons à ce qu'il ne s'éteigne pas.

Chronique du Rwanda

1898

Le royaume du Rwanda est intégré à l'Afrique-Orientale allemande.

1903

Baptême des premiers catholiques. Aujourd'hui, près de deux tiers des Rwandais sont catholiques.

1908

Installation d'un commandement militaire allemand. Le pouvoir est toujours exercé par un roi issu d'une dynastie tutsie.

1919

Après la Première Guerre mondiale, le Rwanda revient à la Belgique.

1920

Par le traité de Versailles, la Société des Nations confie à la Belgique un mandat de tutelle sur le Rwanda. Sous l'administration belge, l'ordre social, reposant sur deux groupes ethniques, est maintenu : les Tutsis (12 % de la population) appartiennent à la haute société aristocratique, et les Hutus (82 %) à la classe inférieure des paysans.

1959

Une révolte hutue donne lieu à un pogrom, au cours duquel plus de 10 000 Tutsis sont tués, et plus de 100 000 se réfugient dans les pays voisins du Burundi et de l'Ouganda.

1961

Abolition de la monarchie tutsie.

1962

Fin de la domination coloniale belge ; le Rwanda devient indépendant. Un parti hutu obtient la majorité lors des premières élections législatives. Grégoire Kayibanda, un Hutu, devient président de la république.

1962-1966

L'armée des Tutsis en exil (aussi appelés « cancrelats* ») tente à plusieurs reprises de s'infiltrer au Rwanda et de prendre le pouvoir. Par représailles, le gouvernement s'en prend aux Tutsis restés dans le pays. Après les massacres, plus de 300 000 Tutsis fuient dans les pays voisins.

1973

Coup d'État. Le général hutu Juvénal Habyarimana devient le nouveau président et chef du gouvernement.

1975

Le général Juvénal Habyarimana crée un parti unique, le Mouvement. républicain national pour le développement (M.R.N.D.).

1990

Le Front patriotique rwandais (F.P.R.), fondé par les Tutsis en exil (ou « rebelles* tutsi »), essaie sans succès de pénétrer au Rwanda et de renverser le gouvernement. Arrestations et massacres de Tutsi vivant au Rwanda en sont la conséquence.

Février 1993

Le F.P.R. prend le nord du Rwanda.

Août 1993

Le F.P.R. et le gouvernement signent un traité de paix prévoyant une participation des Tutsis au gouvernement. Formation d'un gouvernement de transition.

Décembre 1993

Envoi au Rwanda, par les Nations unies, de troupes chargées de garantir la paix.

6 avril 1994

L'avion du président Habyarimana est abattu au-dessus de Kigali*.

7 avril 1994

Les troupes du M.R.N.D. assassinent des personnalités politiques du gouvernement de transition, ainsi que dix casques bleus. Début du génocide des Tutsis.

8 avril 1994

Le M.R.N.D. installe un gouvernement intérimaire. Début de l'offensive du F.P.R.

21 avril 1994

Retrait du Rwanda des troupes des Nations unies.

Juillet 1994

Victoire du F.P.R. Exode vers le Zaïre d'1, 2 million de Rwandais, principalement des Hutus.

La Croix-Rouge internationale évalue à un million le nombre des victimes du génocide.

19 juillet 1994

Le F.P.R. met en place un nouveau gouvernement rwandais.

Avril 1995

Lors de combats entre soldats du FPR et soldats hutus, 2 000 réfugiés hutus perdent la vie.

1997

Combats répétés entre *interahamwe** et soldats du FPR, avec de graves atteintes aux droits de l'homme des deux côtés.

1998

Première condamnation pour génocide rendue par le Tribunal pénal international des Nations unies pour le Rwanda.

2000

Paul Kagame (F.P.R.) devient président du Rwanda.

Glossaire

Amapera[1] : pluriel d'*ipera (voir* cette entrée).

Amasaka : céréale semblable au millet, à partir de laquelle on fabrique une bouillie liquide, consommée sous la forme d'une boisson (*voir* aussi *igikoma*).

Bourgmestre : premier magistrat d'une commune, comme en Belgique. Équivalent du maire en France (*voir* aussi commune).

Calebasse : récipient renflé obtenu à partir du fruit creux du calebassier et de la gourde.

Cancrelats : insulte désignant d'abord les Tutsis exilés aux frontières et tentant de pénétrer dans le pays, puis les combattants du F.P.R.

1. Les termes africains du glossaire sont en langue kinyarwandaise.

Cœur de bœuf : fruit tropical ayant la forme d'un cœur de bœuf.

Commune : collectivité territoriale (subdivision de la province) administrée par un bourgmestre. Depuis fin 2000, on ne parle plus au Rwanda de commune, mais de district. Avec cette nouvelle organisation administrative, le pays compte aujourd'hui 11 provinces, subdivisées en districts (92) et villes (15) (*voir* bourgmestre).

Igikoma : nom rwandais de la bouillie d'*amasaka*.

Igitambaro : longue pièce d'étoffe couvrant la tête.

Interahamwe : signifiant littéralement « ceux qui marchent (ou combattent) ensemble » ou « unité », ce terme désigne les miliciens extrémistes hutus (*voir* milice).

Ipera : singulier d'*amapera*. Goyave. Fruit semblable à la pomme, à chair rouge.

Kalinga : ce tambour était jusqu'en 1961 l'emblème de la monarchie tutsie.

Kigali : capitale du Rwanda, compte plus de 300 000 habitants.

Kinyarwanda : langue nationale et officielle du Rwanda.

Manioc : plante vivrière tropicale dont le tubercule fournit une farine.

Mayibobo : enfant ou adolescent vivant dans la rue. Leur nombre a sensiblement augmenté depuis le génocide.

Milice : forces armées dont les membres n'ont reçu qu'une courte formation militaire ; armée de citoyens (*voir interahamwe*).

Muzehe : dans le langage populaire, c'est ainsi que l'on appelle un homme âgé, un vieillard.

Nyogokuru : en kinyarwanda (*voir* cette entrée), signifie « grand-mère ».

Rebelle : Tutsi en exil, combattant du Front patriotique rwandais (F.P.R.). Également appelé *inkotanyi*.

Sabyinyo : volcan rwandais dont le nom (« grande dent saillante ») traduit l'apparence. Le Sabyinyo, le Karisimbi et le Muhabura sont les trois principaux volcans du Rwanda. Le mont Karisimbi (1507 m) est le point culminant de ce pays de hauts plateaux.

Sauce : ragoût (viande, poisson ou légumes) qui accompagne les féculents.

Umubyeyi : l'un des parents, la parturiente.

Umucyenyero : jupe ou robe enroulée autour du corps.

Umwitero : écharpe couvrant le haut du corps.

Composition JOUVE – 62300 Lens
N° 828521t
Imprimé en France par HÉRISSEY - 27000 Évreux
Dépôt imprimeur : 96841 - éditeur n° 49817
32.10.2286.6/01 - ISBN : 2.01.322286.6
Loi n° 49-956 du 16 juillet 1949 sur les publications destinées à la jeunesse
Dépôt légal : septembre 2004